I libri di Luciano De Crescenzo

Vita
di Luciano De Crescenzo
scritta
da lui medesimo

ARNOLDO MONDADORI EDITORE

Dello stesso autore

Nella collezione I libri di Luciano De Crescenzo
Così parlò Bellavista
Raffaele
La Napoli di Bellavista
Zio Cardellino
Oi dialogoi
Storia della filosofia greca – I presocratici
Storia della filosofia greca – Da Socrate in poi
La domenica del villaggio

Nella collezione Oscar Bestsellers
Così parlò Bellavista
Storia della filosofia greca – I presocratici
Storia della filosofia greca – Da Socrate in poi

Nella collezione Oscar Narrativa
Zio Cardellino

ISBN 88-0431748-5

Vita
di Luciano De Crescenzo
scritta
da lui medesimo

a mia madre

Premessa

Da bambino ho passato la maggior parte del mio tempo a giocare sul balcone della camera dei miei genitori. Abitavo sul lungomare e, mentre giocavo, vedevo il golfo di Napoli con i suoi ingredienti più scontati: le barche, i pescatori, il sole, il mare, il Vesuvio, Capri, Sorrento e Posillipo. Oggi ho imparato che queste cose non bisogna nemmeno nominarle perché sono tutte folcloristiche, ma a quei tempi, quando non sentivo ancora il bisogno di essere originale, mi piacevano moltissimo e restavo ore e ore a guardarle come si può guardare il fuoco di un camino.

Avevo uno zio sonnambulo che di notte si alzava, attraversava la nostra camera da letto, apriva le imposte e, una volta affacciatosi al balcone, si svegliava e si metteva a cantare con quanto fiato aveva in gola:

Bella, stanotte te sò frato e sposo,
stanotte Ammore e Dio songo una cosa.

Dicono gli astrologi che il carattere di un individuo è influenzato dalla posizione che hanno gli astri nel giorno della sua nascita; sarà pure, rispondo io, ma poi aggiungo: e le canzoni, e il clima, e il mare, e gli zii, che sono tanto più vicini ai nostri sensi, può essere che non contino nulla?

Ho avuto una esistenza varia e, finora, grazie a Dio,

anche abbastanza felice. Volendola sintetizzare al massimo, in soli dieci punti, dovrei poter elencare, in ordine cronologico: la famiglia, il quartiere, la guerra, gli amici, gli amori, l'università, l'IBM, il mestiere di scrittore, il cinema e la filosofia: che poi, guarda caso, sono anche i titoli dei capitoli di questo libro. Trattasi, comunque, di una vita divisa in due tronconi: quella prima e quella dopo la pubblicazione di Così parlò Bellavista *e a tale proposito ho da raccontarvi un sogno, anzi, un incubo.*

Non sono più uno scrittore, un regista, un personaggio pubblico... sono di nuovo un ingegnere della IBM, non ho la barba, è mattina e mi sono appena svegliato. Guardo l'orologio sul comodino e mi accorgo che sono le 8.15: è tardissimo, ho riunione di filiale alle 9 e debbo ancora lavarmi, radermi, far colazione, vestirmi, prendere l'auto e arrivare fino in via Orazio.

Entro in ufficio alle 9.25. Calcolo che quei maledetti avranno cominciato da almeno quindici minuti. Lancio il soprabito su una poltroncina dell'ingresso distante tre metri e mi precipito verso la sala riunioni. La signorina Aurilia, la mia fedele segretaria, m'insegue premurosa lungo il corridoio per avvisarmi che lei, di sua iniziativa, aveva già comunicato all'ingegner Mariani che io, quella mattina, avevo avuto qualche linea di febbre.

Lui è in piedi, accanto a una lavagna luminosa, e sta presentando la nuova campagna vendite DCS: a vederlo così indifferente, pacato, sembrerebbe che non si sia nemmeno accorto del mio ritardo; io, invece, che lo conosco da sempre, so che è incavolato nero e che sta già pensando a cosa dovrà dirmi quando saremo a quattrocchi nel suo ufficio. Per un attimo, infatti, un impercettibile attimo, ha rallentato il suo speech *e ha coperto la pausa con un colpo di tosse.*

Mi seggo accanto a Peppe Imperiali.

«*La campagna di fine anno promuove le vendite DCS sul territorio*» dice nel frattempo Mariani. «*Ogni* salesman *avrà un impegno proporzionale alla sua quota* hardware...»

Cerco di seguire ma non riesco a concentrarmi più di tanto: ho ancora negli occhi un bellissimo sogno che ho appena dovuto interrompere per correre in ufficio...

«*Sai che cosa ho sognato stanotte?*» *bisbiglio a Peppe Imperiali.*

«*Dopo, dopo, adesso fammi sentire*» *risponde lui e mi zittisce.*

Avevo sognato tutto quello che mi è accaduto in questi ultimi dieci anni: il successo editoriale di Così parlò Bellavista, *le esperienze televisive, le regie dei film e via dicendo. Appena l'ingegner Mariani esce dalla sala riunioni, prendo il suo posto e racconto ogni cosa ai colleghi.*

«*Per strada venivo riconosciuto dai passanti... mi chiedevano l'autografo.*»

«*E tu glielo davi?*» *mi chiede Imperiali.*

«*Certo che glielo davo: ero diventato molto popolare anche grazie alla televisione.*»

«*Secondo me, questo è un sogno che non sta in piedi*» *obietta Giovanni Morini.* «*Come potevi diventare popolare in Italia con un libro che parla solo di Napoli?*»

«*In Italia?*» *ribatto io.* «*Vuoi dire nel mondo: e già, perché io, caro Morini, nel sogno, ero ai primi posti nelle classifiche dei bestseller tedeschi, e poi vendevo libri in Spagna, in Svezia, negli Stati Uniti, in Australia, in Giappone...*»

«*Sì, adesso vendevi pure in Giappone!*» *esclama lui sghignazzando.* «*Te li immagini tu i giapponesi che si leggono le avventure del professor Bellavista!*»

«*Proprio così: vendevo pure in Giappone. Nel sogno ero stato tradotto in quindici lingue e pubblicato in trentacinque paesi.*»

«*E il premio Nobel te l'avevano dato?*» *mi chiede lui ridendo.*

«No, ma non è detta l'ultima parola» rispondo io serafico, e poi preciso: «Anche perché il mio è un sogno ricorrente, non finisce mai. Chi ti dice che, in una delle prossime notti, nel sogno, non alzi il tiro delle mie ambizioni? Tanto a me che mi costa: io non faccio a tempo a chiudere gli occhi che già comincio a sognare...».

«Hai fatto pure il regista?»

«Sì e sono diventato amico intimo di molte attrici bellissime!»

«All'anima della palla!» esclama Peppe Imperiali. «Adesso le attrici diventavano intime con te!»

«Proprio così: intime, intime... io, per discrezione, in questo momento non voglio far nomi, però...»

«Sai a Napoli come si dice?» m'interrompe Carlo Mazzocca.

«...»

«"'A vecchia chella ca vò, chella se sonna." La vecchia si sogna tutto quello che desidera, e tu così hai fatto.»

«Hai conosciuto pure Fellini?» mi chiede Morini.

«Certo che l'ho conosciuto.»

«E lui ti salutava?»

«E perché non mi doveva salutare? Anzi, sai che ti dico: secondo me, mi voleva pure bene. È stato lui a dire ai tedeschi "pubblicate la Filosofia greca di De Crescenzo".»

«Ma perché, nel sogno, hai pubblicato pure libri di filosofia?»

«Un paio.»

«E tu che ne capisci di filosofia?»

Ebbene, dovete credermi: il mio incubo è un sogno così reale, ma così reale, che sul serio non riesco più a capire quand'è che sto sognando e quand'è che invece sono sveglio: scrittore, ingegnere, scrittore, ingegnere, scrittore, ingegnere, una volta sono l'uno, una volta sono l'altro. Vado a

*letto e mi sembra di dover correre in ufficio, mi riaddor-
mento e ho l'impressione di essere in ritardo con la consegna
del manoscritto a Paolo Caruso, l'editor della Mondadori.
Cerco freneticamente sulle terze pagine dei giornali un articolo che parli di me, una citazione, la recensione di un
critico, magari anche cattiva, purché mi dia la prova che
sono davvero uno scrittore, e non ne trovo nessuna. Che
fare? Ho deciso: mi ucciderò, mi sparerò un colpo di rivoltella alla tempia. Lo farò, sia chiaro, solo quando mi sembrerà di essere scrittore, così delle due l'una: o è stato un
sogno (e non mi sono ucciso) o sono morto da vero scrittore.*

L.D.C.

I
La famiglia

Una famiglia non si sceglie: nasci e te la trovi intorno che ti sorride. Buoni o cattivi che siano, i parenti non si possono permutare come se fossero auto. Io sono stato fortunato: erano tutte persone di animo gentile.

Sono nato e cresciuto in una casa piena di gente. Quando ci riunivamo per il pranzo sembrava sempre che ci fosse una festa. A capotavola, a impartirci due volte al giorno la benedizione con l'acqua santa, si piazzava la nonna materna. Ci guardava per un attimo con l'occhialetto, per vedere se eravamo tutti attenti, e poi biascicava qualcosa in latino che non sono mai riuscito a capire. Era una vecchietta piccola di statura, ma così eretta nel portamento da sembrare quasi alta: aveva i capelli argentati e un nastrino di velluto nero intorno alla gola. Alla sua destra si accomodavano mio padre, mia madre e mia sorella Clara, e sulla sinistra i miei tre zii *singles*: zio Luigi, zia Olimpia e zia Maria. All'altro capo della tavola stavamo seduti io e Rosa, la mia balia ciociara. Rosa faceva parte integrante della famiglia da molti anni e mangiava con noi. Chi invece non mangiava mai con noi, ma in cucina, era la cameriera numero due, continuamente sostituita perché sempre sospettata di aver rubacchiato.

Questa delle cameriere ladruncole era una fissazione di

mia madre che, a ogni nuova assunzione, s'informava direttamente presso l'interessata.

«Voi rubate?»

«No signò!» rispondeva la poveretta.

«Ah, meno male!» esclamava mammà, tirando un
sospiro di sollievo. «Perché se rubavate, con tutto il cuore,
ma non vi potevamo tenere. E poi penso che pure a voi non
vi sarebbe convenuto. Noi qua, figlia mia, teniamo tutto
contato: soldi, posate, biancheria, fazzoletti... non c'è
niente che ci sfugge.»

Rosa, non solo non rubava, ma veniva mensilmente
derubata da noi in quanto non riceveva alcuno stipendio.

«E che se ne deve fare di uno stipendio?» rispondeva mia
madre a chi la rimproverava per la sua avarizia. «Parenti
non ne tiene, vizi nemmeno, se avesse bisogno di qualcosa,
noi glielo daremmo subito.»

«D'accordo,» obiettava zio Luigi «però fai conto che alla
povera disgraziata un giorno venisse la voglia di farsi un'assicurazione per la vecchiaia...»

«Un'assicurazione? E più assicurata di come sta adesso?
Quella, come viviamo noi, così vive lei: tale e quale» ribatteva mammà e poi, subito dopo, esclamava: «Uno stipendio a Rosa? E che esagerazione: allora pure io dovrei avere
uno stipendio!».

Nel passato di Rosa ci doveva essere stato qualcosa di
poco chiaro. Forse era dovuta scappare dal paese natio per
aver abortito o forse solo perché aveva perso la verginità,
certo è che, ogni volta che si parlava di lei, se entravamo
all'improvviso io e mia sorella, uno dei grandi diceva
«*Austino!*» e tutti gli altri tacevano di colpo. Tanto che io
mi ero convinto che questo Agostino doveva essere stato
un ex amante di Rosa, poi però, sentendolo citare anche a
proposito di zia Olimpia e di zia Maria, e non potendo
accettare l'idea che avesse sedotto tutte le donne della
famiglia, capii che si trattava solo di una parola in codice:

una specie di «attenzione che ci sono i ragazzi!». Oggi, a Napoli, non è più un vocabolo di uso comune, se non altro perché i minori discutono di tutto.[1]

Zio Luigi

Il preferito tra tutti i parenti (quarantadue tra primo e secondo grado) era zio Luigi. Scapolo, amante dei cavalli, bell'uomo, spendaccione: aveva fatto mille mestieri, amato cento donne e girato ogni parte del mondo. Era stato due volte in America, a Chicago, nella città di Al Capone. Il suo trend di vita era il seguente: un lavoro qualsiasi per cinque o sei mesi, tipo pubbliche relazioni per un negozio di via Toledo, agente teatrale di una sciantosa o aiuto *bookmaker* ad Agnano, quindi dimissioni improvvise e una sola settimana all'estero da gran viveur, belle donne, alberghi di lusso, Parigi, Vienna, Londra, Venezia, e tanto champagne. Dopo la fuga tornava a Napoli con la coda tra le gambe e si metteva a cercare un altro lavoro. Io l'aspettavo con ansia per conoscere le sue ultime avventure. Alla domanda «che vuoi fare da grande?» rispondevo sempre «quello che fa zio Luigi», e mio padre si arrabbiava moltissimo.

Non sono mai riuscito a sapere se zio Luigi fosse sul serio un sonnambulo o facesse solo finta: certo è che una notte fu trovato in pigiama nella stanza di Carmelina, una delle nostre cameriere in seconda, in seguito licenziata perché troppo corteggiata dai militari. Pare che Carmelina, nel vedere zio Luigi in pigiama, abbia gettato un urlo spaventoso, e che la nonna e mia madre abbiano fatto appena in tempo a impedire che il poverino si buttasse di sotto.

---

[1] Pare che i primi a usare il termine «*Austino*» siano stati i commercianti della zona Mercato. Quando, in presenza di un cliente, un commesso poco esperto stava per fare uno sbaglio, bastava chiamarlo «*Austino*» e lui correggeva il tiro.

«Stava già con una gamba di fuori!» raccontava mammà.

«E come avete fatto a trattenerlo?»

«È stato facilissimo: lo abbiamo preso per una mano e lo abbiamo riaccompagnato fino alla sua stanza da letto. Ci ha seguito docile docile, come se fosse una creatura. Pensa invece se Carmelina non avesse gridato!»

«Sarebbe stato meglio» commentò papà.

Zio Luigi aveva combattuto in Etiopia fianco a fianco con il duca di Bergamo. Quando veniva qualcuno a farci visita, tirava fuori una vecchia copia della «Domenica del Corriere» e si metteva a raccontare il suo «atto di eroismo».

«Ecco qua, vedete se dico bugie: questo sono io!» e indicava un tenente in divisa coloniale.

A voler essere sinceri l'atto di eroismo non era stato tanto di zio Luigi quanto del duca di Bergamo, ma guai a contraddirlo su questo punto: diventava una belva. Tanto più, poi, se qualcuno metteva in dubbio che il tenente disegnato da Beltrame fosse proprio lui. «Ma come,» replicava fuori dalla grazia di Dio «non vedete che tiene i baffetti.»

Io lo ricordo in piedi, sull'attenti, con la «Domenica del Corriere» tra le mani, che leggeva con enfasi la didascalia sotto il disegno di Beltrame.

«UN ESEMPIO DI ARDIMENTO» leggeva con enfasi zio Luigi. «Infuria la battaglia dello Scirè e il duca di Bergamo, Adalberto di Savoia, sta per gettarsi contro il nemico con la sciabola sguainata, quando uno dei suoi ufficiali [cioè io] lo trattiene per un braccio. "Altezza Reale," dice il tenente "questo posto non è per lei." "Il mio posto" risponde il duca di Bergamo "è dovunque si muore per la Patria."»

Alla parola «Patria» noi della famiglia partivamo con un bell'applauso, a eccezione di papà che invece non credeva una sola parola di quello che diceva zio Luigi.

«D'accordo,» obiettava mio padre «i baffetti ci sono,

ma quanti ufficiali italiani in Africa tenevano i baffetti?»

Il fatto è che papà non aveva alcuna stima di zio Luigi; lo chiamava *'o pallista*. Una sera, mentre stavano in attesa della cena, mio zio gli comunicò in gran segreto che, tramite un amico che lavorava nei servizi segreti, aveva saputo che Hitler non era tedesco ma italiano, e che era nato anche lui a Predappio, proprio come Mussolini. Per tutta risposta papà si alzò da tavola e lo lasciò solo a parlare. Ma zio Luigi non si dette per vinto e lo inseguì fino in camera sua.

«Eugè, stammi a sentire,» continuava a dire mentre gli correva dietro nel corridoio «ma può essere che non t'accorgi che è un travestito! Hai visto i capelli che tiene? È chiaro che è un parrucchino e che non glielo hanno fatto nemmeno bene! E il baffetto posticcio dove lo mettiamo? Andiamo: quello non è un uomo, quello è *'na macchietta, a me me pare Charlot*! E poi quando parla il tedesco esagera, proprio per sembrare tedesco!»

La povera zia Olimpia

Zia Olimpia e zia Maria, essendo state come si dice a Napoli «sfortunate con i mariti», erano due zitelle di ritorno. La prima più della seconda, tanto che in famiglia, quando si parlava di lei, si diceva sempre «la povera zia Olimpia» e più passava il tempo, più l'espressione veniva pronunziata per intero, come se le parole «povera» «zia» e «Olimpia» fossero un unico nome di battesimo: «La Poveraziaolimpia».

A essere sinceri, io di questa zia non ricordo quasi nulla: i suoi problemi facevano parte del codice *Austino*, quello che non poteva essere trattato in presenza dei minori. Comunque, da quanto ho potuto appurare dai cugini più anziani, pare che la Poveraziaolimpia avesse sposato un professionista napoletano, ricco ma impotente, e che questa menomazione fisica del coniuge le avesse reso la vita impossibile.

Il malefico, onde evitare che la sposa «non onorata» potesse andare in giro a raccontare le sue inadempienze, la tenne chiusa a chiave, nell'appartamento, senza darle nemmeno il permesso di stare alla finestra. Si racconta che, aiutato dalla madre, praticasse addirittura dei turni di sorveglianza: quando uno di loro usciva, l'altro restava a guardia della reclusa. Se venivano a farci visita, lui la marcava stretto e non le dava mai la possibilità di comunicare da sola con un parente o con un'amica. Il sequestro durò circa tre anni e se i vicini di casa non ebbero mai sospetti era perché una moglie condannata agli arresti domiciliari a quei tempi rientrava nella norma. Un bel giorno però la Poveraziaolimpia, eludendo i secondini, riuscì a infilare nella giacca di un idraulico di passaggio un SOS da consegnare alla famiglia. Una volta venuti a conoscenza dell'orribile situazione, due dei miei tanti zii (per la cronaca zio Eugenio e zio Guglielmo) la liberarono con un'azione di forza. Scesero in campo allora gli avvocati dell'una e dell'altra parte e il matrimonio *rato ma non consumato* divenne ben presto di pubblico dominio. Ogni cosa insomma procedeva verso il peggio, quando la Poveraziaolimpia mise tutti d'accordo morendo, ancora giovane, di un tumore al seno. Fine della triste storia.[2]

---

[2] A proposito di cancro, per capire quali erano a quei tempi le possibilità di salvarsi, ecco un articolo chiarificatore pescato sulla «Tribuna Illustrata» dal titolo «SCOPERTO IL BACILLO DEL CANCRO»: «Anche questa scoperta può essere rivendicata, come tante altre, all'Italia mercé gli studi che si eseguono in Napoli nell'istituto Palasciano diretto dal prof. cav. Pietro Fabiani. In questo istituto non solo è stato scoperto il bacillo del cancro, quanto è stato preparato anche un siero che, iniettato per via ipodermica, pare abbia fornito ottimi risultati. Il prof. cav. Pietro Fabiani, di cui diamo un'istantanea mentre è al microscopio, ha detto che il bacillo ha una forma oblunga con i margini arrotondati. Il siero anticancerigno è limpido, trasparente, di reazione alcalina e niente affatto irritante». «Tribuna Illustrata», ottobre 1903.

Zia Maria

Quella di zia Maria invece fu una vicenda molto più allegra, e soprattutto una storia d'amore. Questo per merito del marito, Giovanni Ferrara, uomo di grande fascino, anche se un po' sconsiderato.

Quando si conobbero erano due ragazzini: lui aveva diciotto anni e lei quattordici. Il loro fidanzamento, per colpa del nonno, durò una eternità: dodici lunghissimi anni. E per zia Maria furono dodici anni di pianti disperati, di litigi con i genitori, di bigliettini consegnati di nascosto, di minacce di suicidio e di poesie. Il vecchio, quasi per istinto direi, si opponeva al matrimonio con tutte le sue forze, e non cambiò idea nemmeno quando seppe che zio Giovanni, nel frattempo, pur di sposarsi, si era perfino laureato in medicina.

«Tu sei un pazzo,» lo rimproverò la nonna «lo sai che un dottore in casa è un affare!»

«*Sarà un affare,*» rispose il nonno «*ma a me stù Ferrara nun me piace: è 'nu sbruffone!*»

L'opposizione paterna non fece che accrescere la passione dei due innamorati. Zio Giovanni e zia Maria continuarono a vedersi alla bell'e meglio, facendosi aiutare da tutti quelli che si erano schierati dalla loro parte. Ogni scusa era buona per uscire o per scambiarsi un bacio al volo: s'incontravano a messa, per le scale, ai funerali, ai matrimoni o al mercato. Quando il nonno, per punizione, la chiudeva in casa, lei si affacciava alla finestra del bagno di servizio e lui, sempre per non farsi scorgere dal nemico, sporgeva il capo da un orinatoio pubblico situato a pochi metri di distanza. Si racconta che per comunicare usassero il linguaggio dei sordomuti.

«Dàlli e dàlli,» si dice a Napoli «si spezzano anche i metalli» e così Giovanni Ferrara, a forza d'insistere, vinse la sua battaglia: si presentò un bel mattino, di buon'ora, a bordo di un'Isotta Fraschini fiammeggiante e a questo punto anche il nonno fu costretto ad arrendersi. Non dimentichiamoci che negli anni Trenta, a Napoli, c'erano in circolazione sì e no duemila automobili. Zio Giovanni poi era un uomo pieno di attenzioni: quando veniva a farci visita aveva un pensierino per ogni membro della famiglia, una busta di caramelle per me, un'immaginetta sacra per mia madre, una bambolina per mia sorella Clara e perfino un sigaro toscano per il nonno. Un giorno arrivò con un calessino trainato da un somarello chiamato Ciccillo: imbarcò noi ragazzi e ci portò a fare una bella passeggiata per via Caracciolo.

Il primo anno di matrimonio fu eccezionale: lo zio condusse la sposa alla *Maison Thérèse*, il più elegante atelier di Napoli, e la vestì come una vera parigina. Malgrado le spese folli (pranzi, cene, corse di cavalli, Isotta Fraschini, Ciccillo e compagnia cantante), era anche molto attento al patrimonio familiare: aveva un libretto di risparmio con quasi seicentomila lire depositate e una cassetta di metallo piena di anelli, collane e braccialetti. Di tanto in tanto zia Maria prendeva la cassetta e ci faceva sentire il tintinnio dei gioielli. «Io sono la regina di Macondo,» cantilenava «ho lo smeraldo più grande del mondo. Ho cento collane, ho cento orecchini e ho un diadema di perle e di rubini.» Soprattutto lo smeraldo colpiva la nostra immaginazione. Non poteva mostrarcelo, come avrebbe voluto, perché una volta aveva smarrito la chiave e da quel giorno zio Giovanni gliela aveva tolta. Quando c'era una festa, però, indossava tutti i gioielli contemporaneamente e allora sì che sembrava una regina. Più innamorato che mai, lo zio volle far incidere su tutte le posate d'argento la scritta A.M.A.M.I. ovvero A Maria Amore Mio Immenso.

Un brutto giorno, però, zio Giovanni uscì di casa e s'imbarcò su una nave per l'America. Venimmo così a sapere che era pieno di debiti e che era fuggito per evitare le ire dei creditori. L'Isotta Fraschini non l'aveva mai pagata, gli abiti alla *Maison Thérèse* nemmeno. Le posate d'argento, non solo non le aveva mai portate dall'incisore, ma se l'era vendute tutte, una per una, e le cifre sul libretto di risparmio se l'era scritte da solo. Anche la cassetta dei gioielli, una volta aperta, fu trovata piena di ghiaietta. Malgrado le malefatte, però, era sempre innamorato di zia Maria, e, non appena gli fu possibile, la fece venire in America.

Parte mia zia per New York e trova subito lavoro in una *factory* dove cuciva pellicce e cappellini e, a sentire lei, era anche molto apprezzata dal proprietario, un certo mister Peterson. Invece il suo Giovanni, anzi il suo Johnny, come ormai si faceva chiamare, non se la passava affatto bene: esercitava, sì, il mestiere di medico, ma clandestinamente, e occupandosi in pratica solo di aborti e di ferite da armi da fuoco. Il vizio del gioco poi non lo aveva mai abbandonato: pare che trascorresse buona parte del tempo libero nelle Sale Corse di New York. Lei, comunque, avrebbe continuato ad aiutarlo per tutta la vita, se una sera, tornando a casa, non l'avesse trovato in compagnia di un'altra donna, più anziana di lei e tutta ingioiellata. Zio Giovanni, non appena la sentì salire per le scale, la bloccò sul pianerottolo e le disse: «Marì, non fa' la stupida: di' che sei mia sorella. Guarda che questa qui è carica di soldi».

Zia Maria ottenne in breve tempo il divorzio e, malgrado che il suo principale, mister Peterson, la volesse a tutti i costi sposare, se ne tornò a Napoli, dai suoi genitori. Qui ebbe tanti problemi, anche perché nel frattempo era diventata del tutto sorda: pare, infatti, che in America, a causa di una febbre reumatica di origine virale, mal curata (o forse curata dal marito), avesse perso l'uso dell'udito, e meno male che a suo tempo aveva imparato l'alfabeto dei sordomuti.

Papà

Papà, quando emetteva un giudizio, riusciva a farlo con una parola sola. Un giorno, eravamo nel '39, alcuni studenti interventisti stavano sfilando per via Partenope: erano in gran parte *gufini*[3] e inneggiavano all'entrata in guerra dell'Italia. Gli slogan più urlati erano «Morte alla perfida Albione» e «Dio stramaledica gli inglesi». Mio padre si affacciò al balcone, li guardò sfilare per qualche secondo, poi tornò dentro e disse: «Gli studenti!». Con una sola parola era riuscito a esprimere tutto il suo disprezzo per i giovani, ad alludere all'esperienza vissuta in trincea nel '15-18, e a riaffermare l'antipatia che aveva per i fascisti. Se qualcuno gli avesse fatto notare che l'inno del fascismo era *Giovinezza*, lui avrebbe risposto: «Infatti», e chi voleva capire capiva.

Mio padre era una specie di burbero benefico. Niente smancerie o vezzeggiamenti: mai che mi avesse dato un bacio in vita sua. Se però la mattina avevo qualche linea di febbre, non andava ad aprire il negozio, dava le chiavi a Natale, il fattorino di fiducia, e gli diceva: «Natà, apri tu che io arrivo tra mezz'ora» e intanto mi controllava il polso per capire se davvero stavo male o se ero ricorso al trucco della lampadina per far salire il termometro.

A quei tempi il terrore dei padri era la polmonite: prima che inventassero la penicillina la polmonite era una spada di Damocle sospesa sul capo di tutti i ragazzini. Proibito sudare e prendere «colpi d'aria». Quando andavamo a far visita ai parenti, mammà si portava dietro una maglietta di lana e gli indumenti necessari per un ricambio completo. La scena che ne veniva fuori era pressappoco questa:

«Luciano,» tuonava papà «tu sei sudato!»

---

[3] Gufini = appartenenti al GUF, la Gioventù Universitaria Fascista.

«No» rispondevo io, continuando a giocare.

«Non rispondere a tuo padre!» gridava mammà. «Vieni qui e fai vedere se sei sudato.»

«Non sono sudato.»

«Tu sei sudato!»

«Non sono sudato.»

«Tu sei sudato!»

«No.»

E intanto cercavano di prendermi: io scappavo e mio padre m'inseguiva urlando, mentre il resto della famiglia tentava di circondarmi. Quando alla fine riuscivano ad acchiapparmi ero sudato per forza. Così papà, dopo avermi infilato una mano dietro le spalle, cominciava a gridare:

«*Stu fetente*: e diceva che non era sudato!»

Dopo di che mi mollava un ceffone che regolarmente finiva col colpire qualcuno che mi teneva fermo (di solito o Rosa o mammà, che provvedevano al cambio della maglietta). Veloci come meccanici della Ferrari, le donne mi denudavano davanti a tutti, mi asciugavano e mi soffocavano in una nube di borotalco. Alla fine ne venivo fuori bianco come una statua e rivestito fino al collo di indumenti di lana che mi facevano sudare più di prima.

Mio padre odiava sopra ogni altra cosa al mondo il gioco del pallone, soprattutto perché contribuiva a farmi consumare le scarpe. Non si contano le volte che mi è piombato addosso, come un falco, mentre ero intento, in villa comunale, a giocare con quelli della mia classe. Le scarpe, secondo una sua teoria anticonsumistica, dovevano durare almeno dieci anni alle persone adulte e quattro ai ragazzi della mia età: lui, per esempio, non appena rientrava dal lavoro, se le toglieva fin dall'ingresso per indossare le pantofole, e questo, non per stare più comodo, come peraltro sarebbe stato lecito, bensì per farle durare più a lungo. «Anche se cresce il piede,» era solito dire «bisogna resistere.»

«Eugè,» lo avvisava mia madre «qua dobbiamo comprare le scarpe al ragazzo: quelle che tiene adesso gli vanno strette.»

«Come sarebbe a dire "gli vanno strette"?» replicava lui, sospettoso. «Se fino a ieri gli andavano larghe?»

«E che vuoi che ti dica: stanotte sarà cresciuto,» rispondeva mammà «è ragazzo e sta nell'età dello sviluppo.»

«E questo ti piace di fare, eh!» esclamava papà, guardandomi storto, come se la crescita del piede fosse stata per me un divertimento.

Le scarpe bisognava comprarle da Elegant, il negozio di Stefanino Buontempo, detto anche «l'inadempiente».

«Delitto e castigo!» sentenziava papà.

Il «delitto» era questo: anni prima, dopo un fidanzamento durato otto anni, Stefanino Buontempo aveva mollato, praticamente sull'altare, una nostra parente, tale Angelina De Crescenzo di anni 35, in seguito rimasta definitivamente nubile. In Sicilia lo avrebbero ucciso, noi De Crescenzo invece, di animo più mite, ci eravamo accontentati di uno sconto del 30 per cento, vita natural durante, su tutti gli articoli del negozio.

Una volta misurate le scarpe (misurate si fa per dire, perché poi finivamo sempre col prendere quelle più lunghe), papà chiedeva il prezzo e appena udita la cifra, malgrado lo sconto-Angelina, faceva il gesto di avventarsi su di me per punirmi di tutte le partite che avevo giocato a sua insaputa. Fortunatamente sia Stefanino che i commessi conoscevano le sue reazioni, per cui al momento di pagare avevano già fatto quadrato intorno alla mia persona.

Prima ginnasio, settembre 1938: mio padre mi chiamò in camera sua.

«Vieni che ti debbo dare una cosa.»

«Che cosa papà?» chiesi io. «Sono già le otto e non vorrei fare tardi proprio il primo giorno di scuola.»

Lui non rispose: aprì un cassetto della scrivania e ne tirò fuori una penna stilografica.

«Questa è una Waterman!» mi disse con aria solenne, quasi come se stesse conferendomi la Legion d'Onore. «Io ce l'ho da più di dieci anni: tu adesso perdila e io ti uccido!»

Da quel giorno cominciò per me il tormento della stilografica. In qualsiasi momento del giorno e della notte (anche mentre dormivo) mio padre poteva puntarmi contro l'indice accusatore e domandarmi a bruciapelo: «Dove sta la penna?». Dopo di che, se non la tiravo fuori in meno di trenta secondi, erano botte. Ah, come invidio i ragazzi d'oggi che possono perdersi impunemente tutte le biro che vogliono, senza vivere nel terrore! Quando, dopo scuola, andavo a giocare a pallone in villa comunale, non sapevo mai dove nasconderla: se la lasciavo nella cartella, correvo il rischio di farmela rubare e, se me la portavo addosso, di perderla. Spesso giocavo tenendola stretta in mano e quando cadevo, invece di proteggermi con le mani, per non farmi male, alzavo il braccio in aria in modo da risparmiarle anche il minimo urto. A proposito di *mazziatoni*, ora che ci penso, papà in vita sua non mi ha mai mollato uno schiaffo, anche se ha sempre dato l'impressione che stesse lì lì per farlo.

Era proprietario di un negozio di guanti in piazza dei Martiri, ma non aveva l'animo del commerciante: avrebbe preferito mille volte fare il pittore a tempo pieno. Era tale il senso di colpa di non aver assecondato la propria vocazione artistica, che chiunque gli si fosse presentato in negozio dicendo «Buongiorno, io sono un pittore» finiva col portarsi via, gratis, almeno un paio di guanti. A volte gli artisti ricambiavano lasciandogli un ricordino, ed è appunto grazie a questi ricordini che oggi posseggo alcune «tavolette» di impressionisti napoletani.

Il nonno paterno, invece, il pittore lo aveva fatto sul serio e pare anche con ottimi risultati sul piano artistico: era stato allievo di De Nittis nella scuola di Resina. Un po' meno buoni, in verità, i ritorni sul piano economico, e fu per questa ragione che un giorno, avendo beccato papà, in Galleria, che tentava di fare anche lui il pittore, gli ruppe la *cascetta* dei colori sulla testa, lo tolse dal liceo (dove, in verità, andava maluccio) e lo fece assumere di forza, in qualità di *apprendista guantaio tagliatore*, dai fratelli Partito. Il nonno anticipò le due lire necessarie all'acquisto delle forbici, per poi farsele rimborsare non appena riuscì a mettere le mani sulla prima paga settimanale. L'importante, disse, era cominciare da zero.

In fabbrica papà conobbe un poeta, Vincenzo Russo, anche lui *apprendista guantaio tagliatore*, anche lui amante dell'arte e della poesia.

Vincenzino Russo[4] era un giovanotto poco più che ventenne, magro, tutto baffi e malato di tisi (malattia endemica fra i napoletani del primo Novecento). Di giorno faceva il guantaio e di sera la maschera al Teatro Verdi. Una mattina ebbe un attacco di tosse più violento del solito, e i fratelli Partito, per non fargli più respirare i miasmi delle tinture, gli concessero di lavorare all'aperto. Cenzino non avrebbe potuto chiedere di meglio: proprio di fronte all'ingresso della fabbrica, in un appartamentino al terzo piano, abitava una certa Maria, una ragazza dai capelli neri di cui lui si era perdutamente innamorato. Gli abitanti di via San Giuseppe si abituarono ben presto a vederlo, ogni mattina, curvo sul banchetto di tagliatore, che un po' sagomava pelli di

---

[4] Vincenzo Russo (1876-1904) smise di andare a scuola dopo la seconda elementare; successivamente completò la sua istruzione frequentando i corsi serali per operai. Essendo ritenuto dal popolino un «assistito», ovvero un individuo in grado di prevedere i numeri del Lotto, fu contattato dal maestro Edoardo Di Capua, accanito giocatore di terni e quaterne. Dall'incontro nacquero alcune delle più belle canzoni napoletane. Oltre a *Oi Marì*, ricordiamo: *Io te vurrìa vasà*, *Canzona bella* e *Torna maggio*. Morì giovanissimo, a soli 28 anni, lasciando accanto al letto questi ultimi versi: «*Oi sole, tu pure m'è lassato / tu pure me l'è fatto 'o tradimento / nu friddo acuto dint'all'ossa sento / e manco tu me può venì a scaldà. / Per me tutte è fennuto. / Addio sole d'aprile / addio stelle d'o cielo / io ve saluto*».

capretto e un po' inviava canzoni appassionate all'indirizzo della bella Maria. A sentire papà, la ragazza non si affacciò mai, e così facendo non ebbe nemmeno modo di rendersi conto che, di lì a qualche anno, sarebbe diventata la Maria più famosa del mondo (subito dopo la Madonna). La canzone, infatti, era la bellissima Oi Marì.

C'è un episodio della vita di mio padre che mi è rimasto impresso per sempre. Era da poco finita la guerra ed eravamo andati, io e lui, a Bagnoli, al comando alleato, per tentare di farci restituire la casa del Vomero che era stata requisita dagli inglesi. Mentre camminavamo lungo un viale assolato, papà inciampò in una buca e cadde lungo disteso per terra. In un primo momento pensai che si fosse rotta una gamba. Cercai di rialzarlo, ma non ci riuscii. Era troppo pesante per le mie forze di allora, lui aveva già superato i 66 anni e io non ne avevo ancora 16. Mi guardai intorno, sperando di vedere qualcuno che mi potesse dare una mano, ma la via era completamente deserta.

«Siediti e non ti preoccupare,» disse lui «prima o poi passerà qualcuno. Non credo di essermi rotto niente. E poi, alla fin fine, perché tutta questa fretta: la casa ormai l'abbiamo persa... il negozio pure... e non abbiamo niente da fare. Il guaio è che io sono troppo vecchio per ricominciare e tu troppo giovane per prendere il mio posto. Forse avrei dovuto sposarmi prima.»

Mi prese una mano e me la strinse: restammo in silenzio per alcuni minuti.

Mammà

Di mia madre ho sempre parlato in tutti i miei libri e a volte penso che il mio tirarla in ballo così spesso mi abbia anche portato fortuna. Vuoi vedere, mi dico, che ha intercesso per me in Alto Loco? Beh, se minimamente poteva farlo, lo ha fatto: era nel suo stile. Ricordo un episodio, in apparenza insignificante, accaduto molti anni fa, quando ancora abitavo al Vomero: eravamo a casa, nel soggiorno, e in Tv c'era Ella Fitzgerald che cantava *Tenderly*.

«Io proprio non capisco» sbottò a un certo punto mia madre «com'è che alla RAI fanno cantare a questa qui! Dico io: almeno fosse bella... questa è pure brutta!»

«Guarda mammà» risposi io «che "questa", come la chiami tu, è Ella Fitzgerald.»

«Sarà chi vuoi tu, però, secondo me, i negri dovrebbero cantare per i negri e i bianchi per i bianchi, altrimenti perché Nostro Signore ci avrebbe fatto di colori diversi? E dal momento che noi in Italia siamo bianchi, fateci sentire a Nilla Pizzi, altrimenti succede che io prendo carta e penna e scrivo alla RAI.»

Proprio in quel momento squillò il telefono: era il Servizio Opinioni RAI che raccoglieva pareri sulle trasmissioni in corso. Mammà andò a rispondere.

«Signora,» esordì una voce femminile «sta seguendo la televisione?»

«No,» rispose mammà «la sto vedendo.»

«E cosa sta vedendo?»

«Gliel'ho detto: la televisione.»

«Sì, ma quale programma sta vedendo?» chiese ancora la voce femminile che a quel punto cominciava a spazientirsi.

«Ah, ho capito: volete sapere che cosa sto vedendo? Sto vedendo la cantante negra.»

«Ella Fitzgerald? E mi dica signora: questa cantante le piace poco, abbastanza, molto o moltissimo?»

«Moltissimo.»

«Grazie.»

«Grazie a voi, signorina, se volete, telefonatemi pure tutte le sere: qualche volta mi addormento, ma in genere sto fino alla fine...» continuò a dire mammà, cercando d'iniziare una conversazione sui programmi, ma la signorina del Servizio Opinioni a quel punto aveva già messo giù la cornetta.

Quando tornò a sedersi, non potei fare a meno di criticarla per come si era contraddetta.

«Due minuti fa protestavi che non volevi sentire la negra e adesso ti metti a dire che ti piace moltissimo.»

«Sì lo so,» mi rispose «però se io dicevo che non mi piaceva, quella poi la RAI la licenziava e questo non sta bene: *chella è già accussì nera...*»

Ora dico io: se mammà ha aiutato Ella Fitzgerald, che non è nemmeno della sua razza, volete che non aiuti me che sono suo figlio?

Da ragazza mia madre aveva percorso solo una strada, quella che da via Mancini porta alla chiesa della Madonna dalle Tre Corone: mai che avesse fatto un viaggio fuori Napoli, una gita con le amiche o che fosse andata a una festa da ballo. Di fidanzati poi nemmeno a parlarne. Si chiamava Giulia Panetta, era nata nella Duchesca nel 1883 e a quarant'anni era ancora zitella. La gente per strada la salutava con rispetto, poi però le mormorava dietro: «*Nisciuno 'a vuluta*», quasi che fosse una colpa non essere riuscita a trovare un marito.

Mammà si era già rassegnata allo zitellaggio, quando a casa della nonna si presentò una donna enorme, di oltre centocinquanta chili di peso, nota in tutta Napoli come *'onna Amalia 'a Purpessa.*

«Signò,» disse ansimando *'a Purpessa*, dopo essersi faticosamente calata in una poltrona «ho per vostra figlia Giulia un partito eccezionale: un uomo davvero positivo!»

«Molto ricco?» chiese mia nonna.

«Ho detto positivo, non ho detto ricco» precisò *'a Purpessa* e poi aggiunse: «Non ha nemmeno un debito».

«E com'è?» la interruppe mia madre, che nel frattempo si era avvicinata alla sensale. «È un bell'uomo?»

«Tiene gli occhi azzurri. Guardate qua se dico bugie: questa è la sua fotografia.»

«Uh, Gesù, e quanto è brutto!» piagnucolò mia madre. «Tiene tutti i capelli bianchi, *me pare 'nu viecchio!*»

«*Peccerè*, diciamo le cose come stanno, *tu pure tiene 'na bell'età*» ribatté *'a Purpessa*. «Probabilmente siete tutti e due troppo anziani per avere figli, però almeno vi potete fare compagnia.»

E invece i figli arrivarono lo stesso: prima mia sorella Clara e poi io, l'erede maschio, cinque anni dopo che si erano sposati. Probabilmente debbo la vita alla bravura professionale di donna Amalia *'a Purpessa*, sensale di matrimoni.

Mia madre m'insegnò l'anticonsumismo più intransigente: invece del «Nulla si crea e nulla si distrugge», lei praticava il «Nulla si compra e nulla si butta via». Conservava qualsiasi cosa fosse entrata in casa e riempiva i cassetti di oggetti inutili: rocchetti di cotone senza cotone, scatole di medicine scadute, mozziconi di matite, pile consumate, boccettine di profumo senza profumo, agendine obsolete, pezzi di spago di varie dimensioni e via dicendo. Su una delle scatole degli spaghi era scritto: «Spaghi troppo corti per essere usati». A chi le contestava la mania del conservare, rispondeva sorridendo: «*Pò servì*», può servire, e la sua felicità raggiungeva il culmine quando qualcuno della famiglia le chiedeva:

«Tieni per caso un pezzetto di pelle marrone?»

«Di vitello o scamosciato?»

«Scamosciato.»

«Ce l'ho, ce l'ho: vedi tu stesso nel secondo cassetto del comò, in fondo a tutto, sotto la scatola dei calendari scaduti.»

Il matrimonio non l'aveva distolta dalla fede, anzi, il suo rapporto con la Chiesa, con il tempo, si era andato consolidando. Ogni mattina, alle sette in punto, si recava in parroc-

chia per farsi la comunione e ogni mattina il parroco si rifiutava di confessarla. Il poveretto l'aveva addirittura diffidata.

«Donna Giulia,» le diceva «quando non ci sono peccati
significativi, volersi confessare per forza è peccato.»

«Quindi, secondo voi, io ieri ho peccato.»

«Certo che avete peccato.»

«E allora confessatemi.»

A casa, accanto al letto matrimoniale, si era costruito un
piccolo altare (una mensola di marmo e un inginocchia-
toio), dove, attaccate alla parete, tra lumi votivi e fiori
secchi, c'erano tutte le foto dei defunti della famiglia.

A ciascuno dei morti lei dedicava ogni sera dodici
requiem. Non conoscendo però il latino e recitando ormai
da più di mezzo secolo sempre le stesse litanie, le parole si
erano via via deformate fino a diventare suoni privi di
senso. Ogni preghiera cominciava con un «requia materna»
(invece di *requiem aeternam*) e finiva con un bello «scatt'in-
pace ammenn» (*requiescat in pace, amen*) pronunziato sempre con due «m» e due «n» nell'ultima parola.

Il massimo della sorpresa fu quando, insieme a tutti i
defunti della famiglia, mise anche la foto di Marilyn Monroe. Dodici *requiem* per lei, come per tutti gli altri.

«*Puverella,*» disse mammà «*e che brutta fine c'à fatto!*»

Una mattina mi affacciai al balcone e la vidi che si
avviava verso la chiesa: più si allontanava e più rimpiccio-
liva a vista d'occhio. Il fatto è che, invecchiando, si era
davvero rimpicciolita, tanto che alla fine mi sono convinto
che mia madre non sia morta come tutti gli altri esseri
umani, ma che, a forza di diventare ogni giorno più piccola,
si sia gradualmente trasferita nel suo minuscolo paradiso
fatto di figurelle di santi e di fotografie un po' sciupate dal
tempo e dai baci, e che oggi viva ancora, in formato piccolissimo, proprio accanto a Marilyn Monroe.

II
Il sesso

Credo di aver capito l'erotismo grazie a due esperienze singolari avute in gioventù: una a dieci anni, quando frequentavo la prima media all'Umberto I di Napoli, e un'altra, durante gli anni Sessanta, nel corso di una mostra d'arte futurista.

Come ogni sabato ero uscito di casa in divisa da balilla marinaretto. Stavo ancora per strada, quando udii, provenienti dalla palestra, le urla del mio insegnante di ginnastica, il professor Carosone (da noi chiamato Carotone per via dei capelli color carota). Entrando, lo vidi in piedi su una pedana, attorniato da quelli della terza B. Gridava come un ossesso: le vene del collo gli si erano gonfiate a tal punto che sembrava dovesse esplodere da un momento all'altro.

«Attenti a voi!» urlava. «Se trovo quel figlio di puttana che ha lasciato in giro questa porcheria gli stacco i coglioni!»

Secondo l'etica fascista le parolacce erano indice di virilità e Carotone si vantava di essere un esperto nel ramo. In aula forse si sarebbe controllato un po' di più, ma in palestra, e in particolar modo di sabato, non lo fermava nessuno.

I ragazzi si accalcavano intorno a lui e si spintonavano

l'un l'altro ridacchiando: erano eccitatissimi. Tutti volevano vedere la «cosa sporca» che aveva fatto imbestialire il professore. Mi feci avanti anch'io, ma non riuscii a scorgere nulla.

«Qui non siamo in un bordello!» strepitava intanto Carotone. «Siamo in una palestra fascista e, se qualcuno se lo è dimenticato, io glielo faccio ricordare a forza di calci in culo! Capito?»

Mi chinai e, guardando tra le gambe dei ragazzi, intravidi quello che a me parve un innocente palloncino color latte, e che invece era un preservativo anteguerra, di gomma, spesso come il guanto di un chirurgo. Era stato gonfiato al massimo e legato con uno spago.

«Che è successo?» chiesi a uno della terza B.

«Sono cose che tu non puoi capire!» rispose lui, dandosi arie da persona vissuta. «Sei ancora piccolo!»

Il cuore allora cominciò a battermi forte, ma così forte, che ebbi timore che qualcuno se ne potesse accorgere. Avevo paura e nello stesso tempo sentivo una strana eccitazione: avevo intuito che lì per terra c'era qualcosa di misterioso che aveva a che fare col sesso.

La seconda esperienza fu quella della mostra futurista. Mi consideravo già un uomo maturo ed ero convinto di sapere tutto quello che c'era da sapere sul sesso, quando incontrai un amico di infanzia, appassionato d'arte moderna.

«Oggi alla galleria "Duemila"» mi disse «c'è una mostra tattile: è un'occasione che non ci possiamo perdere!»

A essere sincero, non c'è niente dei futuristi che mi sia mai piaciuto, che so io, un quadro, una poesia, un testo teatrale, eppure, non so perché, mi sono sempre stati simpatici. Il loro cercare la bellezza lì dove non la cerca nessuno, la rottura sistematica con la tradizione, il rinnovarsi continuo come condizione di vita, hanno esercitato su di me un fascino irresistibile. È un discorso che si potrebbe fare per qualsiasi tipo di avanguardia: l'arte ha sempre bisogno di apripista che sopportino gli sberleffi dei moderati (dei moderati come me, per esempio) per conquistare nuove prospettive alla creatività umana.

Dicevano i futuristi: «Perché solo la vista e l'udito possono usufruire di piaceri estetici? Perché nessun artista si è mai preoccupato di far godere un pochino anche il tatto? Che cosa vi ha fatto di male il tatto per averlo così trascurato?». E s'inventarono il teatro tattile, ovvero lo scorrimento, tra le poltrone, di un nastro continuo, proveniente dal palcoscenico, costituito da materiali di diversa ruvidezza: seta, juta, velluto, spugna, carta e via immaginando. Lo spettatore, secondo il loro delirio, avrebbe dovuto essere bendato, per potersi meglio concentrare su quanto gli passava sottomano; nel contempo alcuni attori, ahimè anch'essi futuristi, avrebbero recitato «rumori» in sintonia con le superfici erogate. Ora io non so se questa forma di teatro sia stata mai realizzata, dubito però che abbia mai trovato un pubblico pagante.

Ma torniamo alla mostra: la rassegna era costituita da grandi scatole di legno, dentro le quali i visitatori erano pregati d'introdurre le mani. Ecco alcuni titoli che ricordo: «Infinito semiliquido», «Eternità», «Limbo adolescenziale», «Stazione d'arrivo». Nascosti all'interno degli scatoloni, gli oggetti più svariati: chiodi, pezze bagnate, spazzole, ovatta e mollette per i panni. Chiunque introduceva la mano in un contenitore non poteva fare a meno di ridere. In un'opera intitolata «Senso di colpa» era stato nascosto un barattolo pieno di marmellata e senza coperchio. Ogni volta che un visitatore lo centrava con la mano, erano risate garantite per tutti i presenti. Insomma, una specie di Luna Park.

Al centro del salone campeggiava una scultura intitolata:

«Erotismo». Adesso non ricordo il nome dell'autore, ma ricordo benissimo l'oggetto. Si trattava di una tavoletta di gomma, quadrata, larga grosso modo quaranta centimetri per quaranta e alta cinque. Nella gomma erano stati praticati trentasei buchi, tutti disposti in fila per sei. Su un cartello si leggeva: «Introducete un dito nel buco preferito e fate attenzione che in uno dei buchi è stato nascosto un chiodo rivolto verso l'alto». Infilai subito l'indice nel primo foro in alto a sinistra e, non trovando nessun chiodo, cominciai a esplorare, con cautela, tutti gli altri buchi: più andavo avanti e più avevo paura di pungermi. Solo alla fine, quando mi resi conto che non c'era nessun chiodo, capii che cosa aveva voluto dire l'artista.

L'erotismo è una stanza buia dove si entra con molta curiosità e un pizzico di paura. L'erotismo è il battito accelerato del cuore di fronte al mistero. L'erotismo è partire alla scoperta dell'America senza essere sicuri che ci sia una America dall'altra parte. L'erotismo è il possesso della persona amata unito all'ansia di perderla. L'erotismo è la continua ricerca del limite.

Mi chiedo se i ragazzi d'oggi, grazie alla maggiore circolazione d'idee e ai mutamenti del costume, ne sappiano molto di più di sesso di quanto ne sapessimo noi verso la fine degli anni Quaranta. All'epoca, per tenerci informati, leggevamo, chiusi in bagno, *Mammiferi di lusso* e *L'amante di Lady Chatterley*, ma né Pitigrilli né Lawrence ce la facevano a sostituire l'esperienza personale. Una donna nuda, dalla testa ai piedi, diciamo la verità, non l'avevamo vista mai. I più fortunati avevano intuito, più che intravisto, dal buco della serratura il seno della cameriera mentre si cambiava di abito. E poi, a parte le donne nude, avevamo dei grossi problemi anche con quelle vestite: quando organizzavamo i «balletti», tanto per dirne una, malgrado fossimo una quarantina, le «dame» non erano mai più di cinque, quasi sempre bruttine e comunque obbligate a rincasare prima delle otto di sera.

In mancanza di discoteche ci si riuniva in casa del meno povero, o di chi almeno fosse in grado di preparare un panino con la mortadella e un po' d'acqua frizzante. Tenuto conto dei pochi soldi a disposizione, l'unica alternativa era il castagnaccio innaffiato da un'aranciata in bottiglia chiamata Fior di Pesco. Il disc-jockey non era un professionista, come pare obbligatorio oggi, ma solo il più brufoloso del gruppo che, pur di essere invitato, si adattava alla dura mansione di «mettere» i dischi. Il compito richiedeva abilità e concentrazione. Il poverino, infatti, era tenuto a: 1) prendere il disco con cautela senza farlo mai cadere per terra (i dischi di gommalacca si rompevano al minimo contatto), 2) girare la manovella del grammofono, tra un ballabile e l'altro, senza superare il limite massimo oltre il quale la molla si spezzava, 3) cambiare ogni due balli la puntina, 4) evitare che la stessa strusciasse sul disco, danneggiandolo in modo irreparabile.

I tempi musicali erano due: il fox-trot e lo slow. Con il primo si faceva casino, con il secondo si ballava la *mattonella*, ovvero una specie di ballo statico durante il quale, grazie a un accostamento pubico, si cercava di capire se «lei ci stava o no». Se lei, come di regola, «non ci stava», la si riaccompagnava educatamente al posto di partenza e la si ringraziava per il giro di ballo che ci aveva appena concesso. Le norme di comportamento dei ballerini (non la *mattonella*) venivano insegnate in appositi istituti denominati «Scuole di Danza Classica e Moderna».

Odiavamo i cantanti melodici tipo Carlo Buti e Oscar Carboni. Impazzivamo per le vocine erotiche del Trio Lescano. In fatto di orchestre esistevano due partiti contrapposti: quello di Barzizza e quello di Angelini. Dalla generazione precedente ci separava un abisso: mio padre considerava la canzone ritmica una forma di decadimento morale: quando sentiva Ernesto Bonino cantare *Conosci mia cugina*, esclamava «Africa» e usciva dalla stanza in segno di protesta. Natalino Otto poi lo odiava: per lui era solo «un grande fetentone, indegno di essere messo in onda da un ente nazionale come l'EIAR»: la prima volta che lo sentì cantare *Ritmo, ritmo, ritmo per favore* ci minacciò con un lapidario «finirete tutti in galera» e ci tolse il saluto per almeno una settimana. Per non fargli vedere Mick Jagger, Dio se lo chiamò in cielo verso la fine degli anni Quaranta!

Solo in quarta elementare venni a sapere come si facevano i bambini. A informarmi su ogni particolare, anche quelli più inverosimili, fu un compagno di scuola, tale De Matteis, figlio di un industriale conserviero, molto invidiato da tutti per il fatto che si faceva accompagnare a scuola in automobile dall'autista.

Ogni giorno all'una, prima di uscire, De Matteis chiedeva al bidello:

«È arrivata l'auto?»

«Sì, signorino De Matteis» rispondeva il bidello, mettendosi sull'attenti (a sua discolpa bisogna dire che il papà di De Matteis gli passava sostanziose mazzette, sia a Pasqua che a Natale, mentre i nostri genitori, taccagni oltre ogni limite, non gli mollavano mai una lira).

Un giorno De Matteis, mentre eravamo al gabinetto, mi comunicò la grande notizia:

«So tutto!»

«Tutto cosa?» gli chiesi io.

«Tutto tutto!» rispose lui e con le dita mimò un rapporto sessuale: infilava ripetutamente l'indice della mano destra in un tondo formato dall'indice e dal pollice della mano sinistra. Poi, pur non essendoci nessuno nelle vicinanze, mi raccontò ogni cosa all'orecchio.

«Nooo!» esclamai io incredulo.

«Sìii!» ribatté lui elettrizzato. «Pure tua madre e tuo padre lo fanno.»

L'idea mi fece subito star male.

«E non basta,» continuò De Matteis «ci sono pure i ricchioni!»

«Ricchione» era la massima offesa immaginabile. Se per caso ne scoprivamo uno, per lui era la fine. Veniva subito circondato e accompagnato a casa da un coro continuo: «*Ricchiooò, ricchiooò*». Ho letto da qualche parte che gli individui nascono tutti bisessuali e che solo col tempo si specializzano nell'uno o nell'altro campo. Ebbene vi assicuro che, se da ragazzo avessi avuto anche la pur minima tentazione, non ne avrei fatto nulla, magari solo per il terrore di essere poi chiamato «ricchione».

Chissà che questa crudele strategia persecutoria non possa essere adottata a buon fine, ad esempio per prevenire l'uso della droga: il giorno in cui la parola «drogato» diventasse sinonimo di «imbecille» molti ragazzini, forse, ci penserebbero un po' prima di bucarsi. È inutile cercare di dissuadere un giovane con lo spauracchio della morte: un ragazzo normale non può immaginarsi di morire, per la semplice ragione che è convinto di essere immortale. Lo slogan, invece, «drogato = imbecille» potrebbe avere su di lui un effetto deterrente di gran lunga maggiore, in quanto lo ferirebbe nell'orgoglio. Invece di esaltare (come abbiamo sempre fatto) certi divi del rock, noti consumatori di eroina, mettiamo in giro la voce che la natura ha inventato la droga solo per eliminare i più stupidi. Vuoi vedere che, anche se non è vero, finiamo col salvare qualcuno?

Dai quattordici ai diciotto anni, come spesso capita ai ragazzi di questa età, mi masturbai ogni sera, tra le dieci e mezzanotte, con scrupoloso accanimento. L'impossibilità di trovare coetanee, belle o brutte che fossero, disposte ad avere un qualsiasi rapporto sessuale, seppure superficiale, m'indusse a coltivare il «vizio solitario». A complicarmi la vita, però, arrivarono San Sebastiano e don Attanasio.

Nella parrocchia di Santa Lucia c'era una gigantesca rappresentazione del martirio di San Sebastiano. Ricordo le corde che tenevano il santo legato alla colonna, lo sguardo del martire rivolto verso il cielo e le frecce conficcate nel corpo, come tanti aghi su un puntaspilli, compresa quella che gli attraversava la gola e che poi era quella che più di tutte mi faceva impressione. Non era un capolavoro, d'accordo, ma in quanto a Grand Guignol non aveva nulla da invidiare al più raccapricciante film dell'orrore.

Don Attanasio, il parroco, era ancora più terrificante del quadro: quando mi confessava, a parte il fatto che sbrigava tutta la faccenda in piedi, fuori dal confessionale, era solito andare subito al sodo:

«Hai commesso atti impuri?»

«Sì.»

«Da solo o accompagnato?»

«Da solo.»

«Lo vedi a San Sebastiano?»

«Sì.»

«Ebbene, ricordati quello che ti dico: ogni volta che te lo meni, San Sebastiano viene colpito da una freccia! Ecco quello che sei: un farabutto, disgraziato, fetente e senza misericordia! E adesso vattene che non ti voglio più vedere.»

«E la penitenza?»

«Tre Ave Maria per ogni freccia che ha colpito San Sebastiano.»

Le frecce erano otto (compresa quella alla gola) quindi tre per otto... ventiquattro Ave Maria.

Ma non basta: per anni sono stato tormentato da San Sebastiano. Ogni volta che facevo l'amore, puntualmente, proprio nel momento più bello, mi tornavano in mente lui e le sue stramaledettissime frecce.

Le occasioni per eccitarci erano numerosissime. A scuola, per esempio, ogni anno ci portavano a vedere lo stesso film: *Processo e morte di Socrate*, con Ermete Zacconi, un lungometraggio tra i più noiosi del cinema italiano. Verso la fine del film, però, poco prima che Socrate bevesse la cicuta, si vedevano sette fanciulle danzare davanti alla nave sacra, e in particolare una bella biondina che, alzando al cielo una coroncina d'alloro, accentuava la forma del seno al di sotto della tunica. A quel punto i più assatanati di noi cominciavano a toccarsi, facendo attenzione però a non emettere mugolii, anche perché Carotone era lì che andava su e giù per il corridoio con una cinghia in mano e dava scudisciate al buio dovunque sentiva arrivare il più piccolo rumore.

Insomma, erano tempi duri. Fortunatamente però c'era la foto a mezzo busto della negra che zio Luigi aveva portato dall'Africa Orientale: noi la battezzammo «Faccetta nera» e ci innamorammo di lei. La negra era un po' bruttina di viso, ma aveva tutte e due le tette fuori e tanto bastava per farci salire il sangue alla testa. Quando zio Luigi andava al Circolo, noi ci chiudevamo nella sua stanza e, dopo aver posto la foto in posizione verticale sulla scrivania, restavamo a guardarla in religioso silenzio, che poi tanto religioso non era e San Sebastiano ne sapeva qualcosa.

L'infatuazione per Faccetta nera, e per le africane in generale, aumentò a dismisura il giorno in cui, durante una visita alla Triennale d'Oltremare, vedemmo la fezzanese Manubia esibirsi in una danza del ventre al ritmo di una decina di bongos. Mai e poi mai avremmo potuto supporre che un ventre di donna fosse capace di esprimere tanta sensualità solo muovendosi, quasi possedesse un'anima localizzata. Zio Luigi stesso, che pure era abituato a vedere ben altre esibizioni, non poté fare a meno di esclamare: «Gesù, Gesù, a questa le manca solo la parola!». Le tette di Faccetta nera, sommate al ventre di Manubia, crearono in noi una sana coscienza democratica e antirazzista che ancora oggi ci accompagna nella vita.

Un giorno però zio Luigi si accorse che la foto appariva... come dire... logorata dall'uso e pensò bene di chiuderla a chiave in un cassetto del comò. Noi non ci facemmo scoraggiare per così poco: Filuccio, il figlio del portiere di via Marino Turchi, alto e magrissimo, tolse il cassetto superiore e, allungando un braccio reso scheletrico dalla fame bellica e dalla eccitazione sessuale, riuscì lo stesso a prendere la foto con la punta delle dita. Ora io mi chiedo: potrà mai un ragazzo d'oggi, con tutti i «Playmen» che gli sbattono sulla faccia, capire quale immensa gioia provammo noi quel giorno, quando Filuccio pescò la foto di Faccetta nera dal cassetto di zio Luigi?

Sono diventato maggiorenne prima che chiudessero le case di tolleranza e, siccome mi sono deciso a raccontare tutta la verità, confesserò anche di averle frequentate. Sia chiaro però che non ne sono mai stato un cliente abituale, anzi, al contrario, posso vantarmi di esserci andato solo in alcune occasioni e non necessariamente per motivi di sesso.

Cominciai che avevo sedici anni, molta fame e nessuna possibilità di chiedere soldi a casa. Fu un mio compagno di liceo, tale Criscuolo, detto *Sciabbolone*, a introdurmi nel business degli alcolici.

«Tu adesso vieni con me da zì Alfonso. Io ci parlo, ti presento, dico che sei un mio compagno di scuola, e ti faccio vedere che quello dà le bottiglie pure a te.»

«Ma è veramente tuo zio?» chiesi io per tranquillizzarmi.

«Per amor di Dio!» rispose *Sciabbolone* con una smorfia di disgusto. «Tutti quanti lo chiamano zì Alfonso, ma lui non è zio a nessuno. Prima faceva il sacrestano nella chiesa di San Domenico Maggiore, poi lo cacciarono perché si *arrubbava* i soldi da dentro le cassette. Così ora si è messo nei liquori: fabbrica whisky scozzese a Casavatore. Il lavoro è semplice: noi portiamo le bottiglie nei casini e lui ci dà dieci lire a bottiglia.»

Il lavoro non era semplice per niente, se non altro perché si correva il rischio di farsi beccare dagli MP americani e di finire in galera per vendita di prodotti adulterati.

Zì Alfonso era un ibrido, a metà tra il prete e il camorrista: aveva gli occhiali di chi ha passato tutta la vita tra i libri e la voce rauca di uno scaricatore di porto. Mentre in certi momenti sembrava pieno di apprensione per la nostra moralità, un minuto dopo non esitava a minacciarci di morte se solo gli avessimo fregato una lira.

«*Guagliù*, mi raccomando: quando andate nei casini non vi guardate mai attorno. Fatevi il segno della croce, tenete gli occhi bassi e consegnate le bottiglie alla *maîtresse*. Regola numero uno: non lasciate le bottiglie se prima non vi hanno pagato. Regola numero due: ricordatevi dei prezzi: novecento lire la cassetta di whisky e settecentottanta lire quella di gin! Regola numero tre: non dimenticate i vuoti. Regola numero quattro: non guardate le puttane ma guardate i soldi. Se i conti non tornano sono mazzate! Regola numero cinque: non bevete l'*old scotch* di zì Alfonso perché è veleno! Basta un sorso e si muore sul colpo!»

«Ma gli americani se lo bevono!» obiettavamo noi.

«Sì, ma a loro non succede niente perché non sono cristiani!»

Noi, malgrado le regole di zì Alfonso, guardavamo, eccome! Una volta, con la scusa di portare il whisky in cucina, attraversai tutto il casino. Su un divano c'erano tre soldati americani, fra cui un sergente di colore, che stavano aspettando le «segnorine». Nel corridoio incontrai una donna enorme, in vestaglia arabescata, che cantava «Sola me ne vo per la città». Aveva le cosce scoperte e la mutanda di pizzo nero che s'intravedeva a ogni svolazzo della vestaglia. In cucina ce n'era un'altra che si stava facendo un caffè: si chiamava Ketty. Era molto più carina di quella del corridoio e aveva i capelli alla maschietta. Mi guardò mentre scaricavo le bottiglie e disse:

«*Quant'è bello stu piccirillo! Quase quase m'o facesse!*» E fu questo il primo complimento che ebbi da una donna.

Ketty, la «segnorina» con i capelli alla maschietta, entrò nel mio immaginario erotico per rimanervi a lungo. Me la sognavo a occhi aperti, con quella sua bocca rossa e lo sguardo invitante. Non pensavo tanto all'atto sessuale, quanto ad abbracciarle il seno e a farmi coccolare. Mi vedevo ricco e famoso (perfino con l'Isotta Fraschini) che andavo a trovarla con la sicurezza dell'habitué. Avrei detto «Dite a Ketty che sto qua» e le avrei regalato un anello di brillanti.

Da quel giorno cominciai a contare gli anni, i mesi e le ore che mi separavano dalla data del diciottesimo compleanno. Filuccio c'era stato la prima volta a sedici anni: pare che avesse corretto la data di nascita con la scolorina e che nessuno se ne fosse accorto. Bisogna dire però che Filuccio già si radeva e che era più alto di me di almeno un palmo. Io poi avrei avuto troppa paura a presentarmi con un documento falso: sfortunato come sono mi avrebbero beccato al primo tentativo. Mi era stato detto che, se fossi stato scoperto, la polizia avrebbe informato immediatamente mio padre e a quel punto tanto valeva suicidarsi prima.

Arrivarono i diciotto anni e con essi la tanta sospirata iniziazione. Ketty ormai, con le «quindicine» che andavano e venivano, chissà dove era andata a finire. Forse chiedendo in giro, avrei anche potuto scovarla: magari aveva smesso di lavorare e si era sposata...

Scortato dagli amici più anziani, mi presentai al 98, unico casino napoletano ancora *off limits* per gli americani. Era una giornata funerea: non pioveva, ma c'era nell'aria un cupo presagio di temporale. Non che avessi paura di bagnarmi (mi ero portato l'ombrello di papà), ma per un giorno così importante avrei preferito una tiepida sera d'estate. Detti uno sguardo al cielo ed ebbi l'impressione che tutte le nuvole di Napoli si fossero date appuntamento in via Nardones: più m'inoltravo nel vicolo e più loro si abbassavano per potermi deprimere. Vuoi vedere, pensai, che proprio oggi c'è la fine del mondo. Sarebbe stato il massimo della sfortuna: colto in flagrante mentre andavo a puttane! Mi avrebbero spedito all'inferno, senza nemmeno farmi passare per il Giudizio Universale.

«Sta per venire una tropea,» sussurrai «forse è meglio se torniamo domani.»

«E a te che te ne importa se piove,» sghignazzò Nuzzo Neri «mica devi fottere all'aperto!»

Non fiatai, anche perché un tuono apocalittico mi fece ammutolire. I vetri di via Nardones cominciarono a tremare come se fossero stati presi dal panico. Strinsi tra le dita le cento lire della marchetta (dieci banconote quadrate da dieci amlire, faticosamente accumulate negli ultimi tre mesi) e istintivamente pensai a don Attanasio, a San Sebastiano e a mio padre. Mi consolai pensando che tanto non mi avrebbero fatto entrare.

Aprii l'ombrello.

«Ma che fai?» disse Nuzzo. «Apri l'ombrello quando non piove?»

«Sì, ma adesso comincia.»

«Secondo me, stai nel pallone» replicò lui, più cattivo che mai. «Ti sei pisciato addosso e hai pensato che stesse piovendo!»

Una risata generale sancì il mio scorno.

Il 98 aveva un complicato sistema di porte a vetri smerigliati che impediva a quelli che entravano di vedere quelli che stavano uscendo. Ovviamente mi confusi e imboccai la porta sbagliata, quella dove stava scritto «uscita». Una vecchia sdentata mi bloccò al volo:

«Giovane, avete sbagliato porta: *se trase a chell'ata parte!*»

L'ombrello era proibito: mi obbligarono a depositarlo al guardaroba. Poi mi chiesero i documenti: li mostrai tremando. Qualcuno mi disse «sedetevi!» e io ubbidii prontamente, senza nemmeno avere il coraggio di alzare gli occhi dal pavimento. Provai molta invidia per Nuzzo che invece salutava un po' tutti: la guardarobiera, i clienti e le signorine.

La puttana era brutta e antipatica, ma non fui io a scegliere lei, bensì lei a scegliere me. A dir la verità, ce ne sarebbe stata una, seduta in un angolo, che mi piaceva; anche perché era più giovane e più piccola di statura. Stavo lì lì per farle un cenno d'intesa, quando quella brutta mi prese per la manica della giacca e mi costrinse a seguirla.

«Paga la marchetta e vienimi appresso!» mi ordinò e si avviò per le scale.

Sentii la voce di Filuccio che mi lanciava un «vai!» d'incoraggiamento. Tirai fuori dalla tasca le cento lire, ormai rese collose dal sudore, e le consegnai come in trance nelle mani di una Crudelia de Mont che stava alla cassa.

Chissà perché quando si pensa ai casini le prime immagini che vengono in mente sono il sedere delle puttane che salgono le scale e le mattonelle con l'orlo blu lungo il corridoio.

«Togliti i pantaloni!»

Me li tolsi e lei, dopo un rapido sopralluogo per vedere se avessi avuto piattole o altri insetti, prese uno spruzzatore di FLIT e mi stantuffò tra le gambe una fredda nuvola di disinfettante. Le residue speranze di una già improbabile erezione svanirono di colpo.

«Aeh!» ridacchiò la megera. «È arrivato Rodolfo Valentino! *Meglio accussì, tenevo proprio bisogno 'e 'nu minuto 'e riposo! Adesso bell'e mammà,* tu ti vesti un'altra volta e aspetti dieci minuti buono buono, seduto sopra al letto:

senza rompere 'o cazzo. Anche perché io mi debbo cucire la camicetta che si è *scusuta*. E non dire niente abbasso *ca si no* ti sputtano davanti a tutti gli amici e dico *ca sì ricchione e ca nunn'arrizzi!*[1]»

Quando uscii di nuovo all'aperto mi venne da vomitare. Gli amici mi chiesero com'era andata e io mi rifiutai di parlare.

«*Va buò,*» disse Nuzzo Neri, volendomi consolare «*hai fatto sulo 'na figura 'e merda!*»

Mi dimenticai pure l'ombrello di papà.

Passarono gli anni e m'iscrissi a ingegneria. Per un po' non mi capitò più di andare a casino, se non durante la festa delle matricole, quando la «visita ai santuari» era di rigore. Poi conobbi Agostino Belluscio, detto Bambolotto per via dei riccioli, e cominciò il periodo della Pensione Gianna.

La Pensione Gianna era un casino dal volto umano: le ragazze erano tutte venete, a eccezione di Concettina che era nata ad Aversa e che faceva il doppio mestiere di prostituta e di direttrice di sala. Da Gianna si respirava un'aria di famiglia e non c'era la «quindicina», ovvero il *turnover* delle puttane che ogni quindici giorni cambiavano residenza. Il cliente si «affezionava» a una sola ragazza e andava a letto sempre con lei. C'era un cliente di Gallarate, un certo signor Mario, che da più di sei anni era fidanzato con Luisella la Veneziana. Quando andava fuori Napoli per lavoro le telefonava, le mandava le cartoline e le faceva i regalini a Pasqua e a Natale. Luisella era quello che si dice un personaggio felliniano: aveva due tette grandi come provoloni di Auricchio. Un giorno il signor Mario, parlando delle sue tette, socchiuse gli occhi e disse:

---

[1] Che sei pederasta e che non hai erezioni.

«Per me sono come la Svizzera!»

Erano così affiatati che il brav'uomo le aveva lasciato in camera perfino il pigiama, le pantofole e una maglia di lana di ricambio. La signora Gianna poi, ogni tanto, la domenica, offriva il pranzo a tutti e due.

Bambolotto, pur avendo ventitré anni suonati, non aveva mai superato il biennio: s'era impantanato nella chimica e non ne era venuto più fuori. A sbarrargli il passo s'era messo addirittura il titolare della cattedra, il professor Bonifacio in persona.

«Belluscio,» gli disse un giorno Bonifacio «quante volte hai tentato di prenderti la chimica?»

«Quattro volte.»

«E io per quattro volte non te l'ho data: è vero Bellù?»

«È vero.»

«Quindi tu mi odi?»

«Per carità, professò: non mi permetterei mai!»

«No, Belluscio, non negare l'evidenza: tu mi odi! Tu, se potessi, mi ammazzeresti.»

«No, professò, ve lo giuro.»

«Tu mi ammazzeresti.»

«Ma quando mai...»

«Bellù, qua due sono le alternative: o tu ammetti che mi ammazzeresti o io ti caccio fuori dall'aula.»

A questo punto Bambolotto non seppe più che dire e cercò una via di mezzo.

«Veramente, professò, certe volte l'ho pensato, però poi, mi sono subito pentito...»

«No Bellù, non ci siamo capiti,» precisò Bonifacio «tu devi dire ad alta voce: "Io vi vorrei ammazzare".»

«Io vi vorrei ammazzare» ripeté Belluscio come un automa.

«E invece mi dovresti ringraziare.»

«Vi dovrei ringraziare?»

«Sì, caro Belluscio, perché, bocciandoti, io ho cercato di farti cambiare strada.»

«Dopo cinque anni?»

«Meglio cinque anni buttati al vento che altri dieci a inseguire una laurea per la quale non sei portato. Belluscio, guardiamoci in faccia, da uomo a uomo: tu l'ingegnere non lo puoi fare! Tu magari potresti diventare un ottimo medico, un filosofo, un poeta, un nuovo Giacomo Leopardi, ma mai un ingegnere! E allora perché continuare? Perché ostinarsi ad andare contro natura?»

«Perché mio nonno era ingegnere, perché mio padre è ingegnere e perché pure mio zio fa l'ingegnere!» piagnucolò Bambolotto. «Io non posso interrompere una tradizione di famiglia solo per colpa della chimica... con tutto il rispetto per la materia, sia chiaro. E poi proprio adesso che ho trovato un collega tanto bravo con il quale mettermi a studiare.»

Il collega tanto bravo sarei stato io e il luogo dove c'incontravamo per studiare era la Pensione Gianna. Ora, per capire questa scelta, quanto meno insolita, bisogna sapere tre cose: primo, che Bonifacio pretendeva la frequenza alle lezioni, secondo, che la Pensione si trovava in via Mezzocannone, proprio di fronte alla facoltà di Chimica e terzo, che Bambolotto riceveva un piccolo stipendio dalla signora Gianna per tenere in ordine la contabilità della casa.

In genere studiavamo dalle otto all'una. Avevamo le chiavi sia del portoncino che dell'ingresso: entravamo e ci mettevamo a studiare senza svegliare nessuno. La signora Gianna ci aveva procurato perfino una lavagnetta dove poter scrivere le formule più difficili. Stavamo, come si dice a Napoli, nella pace degli angeli.

Oggi la parola «casino» è sinonimo di «chiasso», eppure,

credetemi, non esiste al mondo luogo più silenzioso di un casino durante le prime ore del mattino: le ragazze dormono, il telefono non squilla, i clienti non possono entrare e tutto è silenzio.

Verso l'una la casa cominciava ad animarsi. La prima a farsi vedere era la signora Gianna: si sedeva accanto a noi e ci chiedeva il resoconto della serata precedente. Bambolotto, per farla contenta, una volta al mese le preparava anche la statistica delle marchette, suddivise in «semplici», «doppie» e «mezz'ore».

«La Stefy continua a perdere colpi!» si lamentava la signora. «Il guaio è che quella benedetta ragazza non ha la vocazione della puttana: per essere bella, è bella, ma fa tutto controvoglia e il cliente se ne accorge.»

«E voi non glielo potreste dire come deve fare?»

«Glielo dico, glielo dico, e figuratevi se non glielo dico,» sospirava la signora «ma anche per fare il "mestiere" bisogna essere intelligenti e la Stefy, anima sua, è cretina! Teoricamente dovrei cacciarla oggi stesso, su due piedi, ma è anche la figlia unica di una mia carissima amica, con la quale ho lavorato al Nord per più di venti anni: la posso mai mettere in mezzo a una strada? Io gliel'avevo detto alla madre: "Non la mandare dalle monache che me l'inguai per tutta la vita!".»

Poi arrivavano le signorine, alla spicciolata, chi in pigiama e chi in vestaglia. C'era quella che ci portava la tazza di caffelatte, quell'altra che curiosava tra i libri e quell'altra ancora che restava in silenzio a guardarci studiare. La mattina sembravano tutte più carine che non la sera prima, quando, diciamo così, stavano in alta uniforme. Finimmo col diventare un'unica famiglia: Bambolotto si fidanzò con la Veneziana, la donna del signor Mario, e io feci altrettanto con una ragazza di Mestre che si chiamava Ernestina.

Avevamo più o meno la stessa età. A lei debbo tutto quello che oggi so sul sesso: senza Ernestina, probabilmente, sarei ancora alle prime armi.

Il nostro rapporto cominciò con le lezioni di scrittura: Ernestina era analfabeta e aveva il problema di scrivere due volte al mese alla madre. Da qui nacque l'idea del baratto. Fu lei stessa a propormelo: «Tu m'insegni a scrivere e io ti insegno a fare l'amore; i francobolli però li metti tu che sei uomo». Anche la signora Gianna ci dette il suo benestare: «Purché la schifezza ve la fate la mattina presto, quando non ci sono i clienti!».

La madre di Ernestina, ovviamente, ignorava il mestiere della figlia: sapeva solo che era ballerina di prima fila in una non bene identificata compagnia di rivista e che stava sempre in tournée. La poverina indirizzava le sue lettere a Fermo Posta Napoli ed Ernestina ogni lunedì andava a controllare se era arrivato qualcosa. Oltre che scrivano ero diventato anche lettore e traduttore dal veneto. Ecco un esempio di lettera dettatami da Ernestina:

«Cara mama, mi stago ben e cussì spero de ti. Go tanto sucesso: ancuò un spetator me ga fato tanti aplausi el me ga domandà anca un bis. La capocomica siora Giana ea xe molto contenta de mi, e forse fra qualche mese a me darà un aumento de percentual. Come staa la Lucia? Dighe che a ga da studiar perché nea vita se non se studia se finisse col far tuto queo che vol quei che ga studià. Cara mama, mi te vogio tanto ben e quando penso a ti me ricordo de quando gero putea e me vien sempre vogia de pianser. Tua Ernestina.»[2]

---

[2] «Cara mamma, io sto bene e così spero di te. Sto avendo molto successo: oggi uno spettatore mi ha applaudito e mi ha chiesto pure il bis. La capocomica, la signora Gianna, è molto contenta di me e forse mi darà tra qualche mese un aumento di percentuale. Come sta Lucia? Dille che deve studiare perché nella vita, quando non si studia, si finisce col fare tutto quello che vogliono quelli che hanno studiato. Cara mamma, io ti voglio tanto bene e quando penso a te mi ricordo di quando ero bambina e mi viene sempre voglia di piangere. Tua Ernestina.»

La storia si concluse dopo l'ultimo esame di chimica. Quel giorno Bonifacio era di ottimo umore: accolse Bambolotto con un sorriso.

«Va bene, Belluscio: hai vinto!» disse Bonifacio. «Questa volta l'esame te lo do: pur di non vederti più in vita mia, sono disposto a qualsiasi bassezza.»

«Grazie professò, grazie» rispose Belluscio che non credeva alle sue orecchie.

«Bellù, facciamo una cosa: per non correre rischi, fatti tu stesso le domande che vuoi.»

«No professò, è meglio che me le fate voi!»

«Va bene, ma allora cerchiamo di fare domande facili: dove ti senti più preparato, sulla chimica organica o su quella inorganica?»

«Per me è lo stesso.»

«Ahi, ahi!» sospirò Bonifacio. «Cominciamo male. Comunque, se è questo l'esame che preferisci, proviamo a scrivere la formula del saccarosio.»

«La formula del saccarosio? Me la ricordo benissimo!»

Bambolotto si fiondò alla lavagna. Prima si strinse le tempie con le mani, quasi che volesse spremere dalle meningi la formula del saccarosio, poi prese un gessetto e timidamente cominciò a scrivere, in alto a sinistra, un bel CHOH.

«CH_2OH» corresse Bonifacio.

«Ah sì, grazie... CH_2OH...»

E così continuarono: Bambolotto metteva un atomo di carbonio e Bonifacio gliene faceva aggiungere uno di ossigeno; Bambolotto proponeva un atomo d'idrogeno e Bonifacio glielo faceva togliere. Dopo un tempo che a tutti parve interminabile, lo schema del saccarosio venne finalmente completato.

«E questo, Dio sia lodato, è il saccarosio,» sospirò il professore asciugandosi il sudore con un fazzoletto «che poi in termini pratici sarebbe...?»

«Eh?»

«Bellù,» chiese di nuovo Bonifacio «che cos'è il saccarosio?»

«Non ho capito professore: adesso che cosa volete sapere?» rispose Bambolotto più in tilt che mai.

«Voglio sapere come viene chiamato il saccarosio nella vita di ogni giorno!»

«Il saccarosio?»

«Sìssignore: il saccarosio» ripeté il professore che si stava innervosendo.

Bambolotto non rispose. Capì che l'esame aveva imboccato una brutta strada e che Bonifacio non era più quello di prima. Purtroppo per lui, non gli venne in mente che saccarosio e zucchero sono la stessa cosa e continuò a ripetere come un deficiente «il saccarosio... il saccarosio...» finché il professore gli offrì un'ultima via di salvezza.

«Bellù,» disse Bonifacio, quasi implorandolo «tu la mattina te lo prendi il latte?»

«Sì.»

«E nel latte che cosa ci metti?»

«Il pane» rispose candidamente Bambolotto.

«E te ne devi mangiare di pane prima di prenderti la chimica!» scattò Bonifacio, alzandosi in piedi e urlando come un pazzo. «Perché io la chimica non te la darò mai! Hai capito Bellù: mai!!!»

Belluscio quella mattina tornò alla Pensione con le lacrime agli occhi e la Veneziana gli prese la testa piena di riccioli e la nascose in mezzo ai provoloni di Auricchio.

«Bambolotto mio no far cussì: cossa te importa a ti de a chimica se qua ghe xe a "veneziana" che te vole tanto ben!»

III
Il primo amore

Di primi amori ne ho avuti quattro, uno per ogni età: ho avuto il primo amore da bambino, poi quello da adolescente, poi da giovanotto e infine da adulto. Quanto a quello da vecchio, spero che non si faccia attendere troppo.

Se penso di aver avuto quattro primi amori, e non quattro amori diversi (numerabili dall'uno al quattro), è perché credo di essermi innamorato sempre della stessa persona, di una ragazza cioè un po' bizzarra, che ogni volta ha voluto indossare un nome e un aspetto diversi, come la dea Tetide quando non voleva farsi possedere da Peleo. E così una volta mi si è presentata davanti con i capelli rossi, un'altra con gli occhi verdi, e poi ancora con i capelli neri e infine, l'ultima volta, con le labbra rosa come i coralli dei cammei di Torre del Greco. Io invece (e di questo sono sicuro) non sono mai stato lo stesso uomo: il Luciano che a nove anni s'innamorò perdutamente di Lilly non aveva nulla in comune, nome e cognome a parte, con tutti i Luciani che vennero dopo e che si innamorarono rispettivamente a 19, 29 e 51 anni. Questa pertanto non è la storia di un uomo e di quattro donne, ma di una donna e di quattro uomini, tutti innamorati di lei.

Un giorno John Keats, un poeta inglese dell'Ottocento, morto a soli 25 anni, scoprì su un'urna greca una rappresentazione dell'Amore Eterno. Si trattava di due giovani, un ragazzo e una ragazza, che si rincorrevano da posizioni diametralmente opposte. Data la rotondità dell'urna e la simmetria del disegno, non si poteva stabilire chi dei due stesse inseguendo l'altro. Era chiaro però che tutti e due sentivano il bisogno contemporaneo sia della fuga che dell'inseguimento. «*Heard melodies are sweet, but those unheard are sweeter*»[1] sospira il poeta e poi conclude: «*Bold Lover, never, never canst thou kiss... for ever wilt thou love, and she be fair*».[2]

A questo punto, per capire chi è colei che sta fuggendo da me (o che mi sta rincorrendo), per sapere come è fatta quella che Keats chiama «la sposa inviolata del silenzio», proverò a raccontare quel che finora mi è successo con lei.

Lilly

Ho già detto che m'innamorai per la prima volta a nove anni: lei ne aveva uno meno di me. Abitavamo nello stesso palazzo, quello di via Marino Turchi 31 a Santa Lucia, io al terzo e lei al quinto piano. L'incontro avvenne sul terrazzo comune. Lilly aveva i capelli rossi, le lentiggini e le treccine (aveva anche una mamma egiziana, ma questo lo venni a sapere solo in un secondo momento). Per un po' non accadde nulla: io fermo in un angolo a guardare, e lei a girare intorno sui pattini come se non ci fossi. Poi tutto a un tratto si accorse di me e, ogni volta che mi passava accanto, smetteva di spingere sui pattini e procedeva per una decina

---

[1] Dolci sono le melodie udite, ancor più dolci quelle non udite.
[2] Audace amante giammai, giammai potrai baciarla... tu sempre l'amerai e lei sempre sarà bella!

di metri, immobile, come una figura egizia, allineando il viso alle spalle e mettendo i piedi uno sul prolungamento dell'altro. Guardarmi non mi guardava, ma a ogni passaggio progressivamente mi si avvicinava, e più mi sfiorava, più sentivo il mio cuore sussultare come un assolo di batteria; più giri inanellava, più il mio amore per lei diventava eterno.

In pochi giorni diventammo inseparabili e io cominciai a comportarmi come se fossi il fidanzato ufficiale. Le stavo sempre vicino ed ero geloso se qualche altro ragazzino le rivolgeva la parola. Non so bene spiegare i motivi della mia infatuazione, ma Lilly era troppo diversa da qualsiasi altra bambina avessi conosciuto prima di allora per non restarne affascinato. Probabilmente alla base di questa diversità c'era l'influenza della madre, che era sì egiziana, ma di origine inglese. Anche le abitudini della sua famiglia per me erano sconvolgenti: tanto per dirne una, a casa sua, lei e il fratello potevano parlare quando e come volevano, cosa che invece a me e a mia sorella veniva negata del tutto, a meno che non avessimo avuto la febbre con temperatura superiore ai 38 gradi.

Un giorno Lilly mi disse: «Domani festeggio il mio compleanno, vieni su alle quattro in punto».

«Il tuo compleanno!» risposi io stupitissimo. «E fate una festa?»

«Sì. Perché, tu non la fai la festa quando viene il tuo compleanno?»

«Mai: i miei, in un anno, mi fanno solo due regali, uno all'onomastico e uno alla Befana.»

«E a Natale?»

«Mi dicono Buon Natale.»

«D'accordo, ma sotto l'albero che cosa ti fanno trovare?»

«Niente: e poi noi non facciamo l'albero, facciamo il presepe!»

«E non ti fanno un regalino?»

«No, però mangiamo di più e mi danno il permesso di vedere i fuochi.»

La festa di Lilly fu eccezionale: tutti i ragazzini erano seduti a tavola e venivano serviti come persone grandi. Per la prima volta in vita mia bevvi la cioccolata (fino a quel giorno avevo ignorato che la cioccolata si potesse anche bere). I posti erano tutti assegnati: ognuno di noi aveva un cartoncino col proprio nome e accanto al cartoncino un pacchetto colorato con un regalo personale. Alla fine del ricevimento spensero le luci e arrivò la torta con le candeline accese. Rimasi senza fiato: il fuoco a tavola! Oggi non credo che esista un solo bambino che si possa meravigliare per una torta con le candeline, ma a quei tempi era diverso. Solo dopo la guerra alcune tradizioni anglosassoni, come l'albero di Natale e la canzone *Jingle Bells*, sarebbero diventate comuni.

Il nostro, ovviamente, fu un fidanzamento senza sesso, anche se un giorno, come si dice in gergo, «ci provai».

«Leviamoci i calzoncini e le mutandine,» le dissi «e così ci guardiamo!»

«Levateli prima tu» rispose lei.

Io subito, senza starci troppo a pensare, me li tolsi, ma lei serissima, dopo avermi osservato con calma, non volle fare altrettanto. Da quella volta imparai a spogliarmi solo per secondo.

Improvvisamente però Lilly divenne misteriosa: la sua famiglia cominciò a trasferirsi da una pensione all'altra e si cambiò di cognome. All'inizio, io non capii il perché di tutti questi sotterfugi, poi qualcuno mi spiegò che erano ebrei e che sarebbe stato pericoloso per loro avere un recapito conosciuto. Lilly partì per l'America, all'improvviso, senza neanche venirmi a salutare. Piansi a dirotto: Hitler e Mussolini avevano distrutto il mio primo sogno d'amore.

Giselle

Napoli, Vomero, Liceo Jacopo Sannazaro, ottobre 1947: io stavo in terza liceo e lei in prima. Aveva sedici **anni**. La vedevo arrivare ogni giorno con i libri stretti da una cinghia marrone, sempre ben vestita e perfino truccata. Il martedì invece la incontravo in palestra alle dieci e trenta precise: lei usciva e io entravo. Il primo problema fu quello di non arrossire: anche se la scorgevo a cento metri di distanza, mi si scatenava dentro una tempesta di fuoco, e più cercavo di sembrare indifferente, più mi sentivo avvampare come un tizzone. Poi pian pianino, non so nemmeno io come, mi ci abituai. Non erano tanto gli occhi verdi a sconvolgermi, quanto le punte del seno che riuscivo a indovinare, nude secondo me, al di sotto della tuta.

Un giorno che mi sentivo più forte del solito mi feci coraggio e l'abbordai.

«Come ti chiami?»

«Giselle e abito in via dei Mille.» Poi, subito dopo aggiunse: «Quelli del Vomero sono tutti cafoni!».

«Ma io non sono del Vomero.»

«E di dove sei?»

«Sono di via dei Mille.»

«Ah, meno male!» sospirò lei. «Avevo paura che fossi anche tu del Vomero. Così la mattina possiamo darci appuntamento a piazza Amedeo e prendere insieme la funicolare.»

Io non ero affatto di via dei Mille, ma dopo quello che lei aveva detto dei vomeresi, come facevo a confessarle che da più di un anno mi ero trasferito al Vomero? Sì, d'accordo, avrei potuto dirle che ero originario di Santa Lucia, ma poi, va' a sapere cosa ne pensava di quelli di Santa Lucia. La verità è che il mio amore era un pochino razzista, tanto è vero che aveva anche l'erre moscia.

Il secondo problema fu trovare i soldi per la funicolare: in pratica due lire al giorno (una per salire e una per scendere) e in più qualche altro soldino per offrirle, che so, un gelato o dei cioccolatini. Ogni mattina mi alzavo un'ora prima per farmi trovare, fresco come una rosa, all'appuntamento di piazza Amedeo. La prima discesa me la facevo a piedi: venivo giù di corsa, come un proiettile, lungo la calata San Francesco: dieci minuti, massimo dodici, ed ero a via dei Mille. Il vero dramma era il ritorno, quando, dopo averla accompagnata fin sotto casa, dovevo risalire 1128 gradini per raggiungere il Vomero, ma ero giovane, in salute e per giunta innamorato.

Mettere insieme venti lire a settimana nel '47 era un'impresa. I primi a finire sulla bancarella degli usati furono i testi del ginnasio, poi prese il volo un Giulio Verne avuto in regalo da zio Luigi, e infine i miei adoratissimi Salgari. Con il Ciclo dei Corsari mi pagai due settimane di funicolare e con *Minnehaha la Scotennatrice* (rilegatura in rosso e titoli in oro) tre giorni. A dicembre cominciai a non farcela più: le dissi che potevo accompagnarla solo all'andata, perché all'una dovevo andare da un amico, al Vomero, a fare i compiti. Un brutto giorno, infine, mi resi conto che non avevo più nulla da vendere e mi arresi.

«Senti Gisella...» cominciai a dirle con voce affranta.

«Giselle, prego» mi corresse lei.

«Giselle, debbo darti una brutta notizia: mio padre ha deciso di trasferirsi al Vomero.»

«E con questo? Anche se ti trasferisci, resti sempre uno di via dei Mille.»

E così mi salvai.

Il primo bacio ce lo demmo nello stanzino degli attrezzi sportivi. Era un martedì e c'era ginnastica: io avevo anticipato la discesa in palestra e lei si era trattenuta un po' più del necessario. La baciai con impeto tra giavellotti, clave e «cavalli» in similpelle, ma non ebbi il coraggio di toccarle il seno. Eppure Dio solo sa quanto mi sarebbe piaciuto!

Un giorno, durante la lezione di latino, il professor Valenza ci parlò dei ruderi di Baia e di un tempio dove, a suo dire, era ancora possibile sentire la voce del dio Mercurio sotto forma di eco. Essendo Baia a soli ventidue chilometri da Napoli, venne subito organizzata una gita scolastica per la domenica successiva, alla quale, con mia infinita gioia, avrebbe partecipato anche la prima E, la classe di Giselle.

Una volta nel tempio, nessuno fu capace di sentire Mercurio, anche perché tutti si misero a gridare contemporaneamente, e più di tutti il professore che avrebbe voluto il più totale silenzio per farci ascoltare l'eco: solo io e Giselle ubbidimmo ai suoi ordini, tutti gli altri urlavano come ossessi. La verità è che noi eravamo assenti: pigiati nella ressa, sballottolati da ogni parte, badavamo solo a tenerci per mano e ad ascoltare i nostri cuori. A me di sentire Mercurio non importava assolutamente nulla, l'unica cosa che andavo cercando con gli occhi era un angolo buio, una cameretta segreta, un anfratto qualsiasi dove poterle dare un bacio.

Nel primo pomeriggio ci trasferimmo a Bacoli a visitare le «Stanze di Agrippina» e, mentre tutti giocavano a nascondarella, io e Giselle ce la squagliammo e ci avviammo verso il mare. Il professor Valenza ci vide ma non fece nulla per fermarci. Che Dio gliene renda merito!

Ci sdraiammo, uno accanto all'altro, su una spiaggetta piena di sassi. Era inverno, la zona era deserta e ci potemmo scambiare con calma tutti quei baci e quelle carezze che avevo sognato negli ultimi due mesi. Io stavo con la schiena a terra e lei mi si coricò addosso per coprirmi di affetto (o forse per non sporcarsi). Sentii subito un acuto dolore dietro la schiena: era una piccola pietra che mi premeva giusto in mezzo alle scapole. Non dissi nulla per non rovinare il momento magico. Prima di andar via, però, senza farmene accorgere, presi la pietra e me la misi in tasca.

Poi arrivarono le feste e per un po' di tempo ci perdemmo di vista. Le telefonavo ogni giorno ma i familiari mi rispondevano che Giselle non c'era. Tutte le vacanze di Natale le passai camminando su e giù per via dei Mille, e finalmente una mattina l'incontrai. Fu gentilissima.

«Ciao, *mon amour*, che fine hai fatto: sei sparito?» cinguettò spudoratamente, come se fossi stato io quello che non si era fatto più vedere. Era carina da impazzire!

«Niente di speciale,» risposi con aria indifferente «le solite cose...»

«Senti,» continuò lei, più disinvolta che mai «l'ultima notte dell'anno, a casa mia, diamo un veglione: vengono i Capece Minutolo, i Caracciolo, i Torre Padula, gli Imperiali e i Pignatelli. Vuoi venire anche tu?»

Io non sapevo chi fossero i Capece Minutolo e tutti gli altri cognomi che aveva elencato, ma l'idea di poter stare una notte intera accanto a lei mi elettrizzò a tal punto che da quel giorno non dormii più per l'emozione. Ero così felice che lì per lì sottovalutai una cosa tremenda che mi aveva detto: «Tu ce l'hai lo smoking?».

Ovviamente non lo avevo, ma risposi lo stesso sì, come sempre accadeva ogniqualvolta lei mi guardava negli occhi.

Quel Natale trascorse sotto l'incubo dello smoking. Mio padre, giustamente, avrebbe voluto telefonare ai genitori della ragazza per dirgliene quattro.

«Ma come,» continuava a ripetere «qua l'Italia sta con le *pacche* nell'acqua[3] e questi si mettono a fare le feste in smoking! Io quasi quasi li faccio arrestare!»

Mia madre invece, poverina, aveva intuito quanto fosse importante per me quella festa, e come primo tentativo cercò di farsi prestare l'abito da sera da qualche parente, ma tranne zio Luigi che era all'estero, nessuno della fami-

---

[3] Sta con il sedere nell'acqua.

glia era mai arrivato allo smoking. Così decidemmo di affittarlo, ovviamente senza farlo sapere a papà.

C'era al Vomero, in via Luca Giordano, una ditta specializzata in addobbi e abiti da cerimonia: la «Pecoriello e figli». Adesso non ricordo bene quanto costasse uno smoking Pecoriello nel '47, ma non dimenticherò mai la discussione che si scatenò tra mia madre e il noleggiatore allorché venne fuori il problema della cauzione. Mammà prese la richiesta come un atto di sfiducia nei suoi confronti, si offese e uscì dal negozio. Il noleggiatore la rincorse per strada e le disse che in via eccezionale, e solo per quella volta, avrebbe rischiato. A parte la cauzione, c'era poi il problema della misura: essendo io magro come un fachiro, non esisteva in tutta Napoli un solo smoking i cui pantaloni non mi cascassero per terra. D'altra parte il cavalier Pecoriello si rifiutava di apportare all'abito qualsiasi modifica. Alla fine scendemmo a patti: mammà avrebbe provveduto a fare una piega sul dietro dei pantaloni («Solo un'imbastitura, signora, per carità, mi raccomando: solo un'imbastitura»), e Pecoriello ci avrebbe prestato senza alcun sovrapprezzo un paio di bretelle per tenerli su.

Lo so: è difficile immaginarmi magrissimo, eppure, credetemi, ero così scheletrico che gli amici mi chiamavano Auschwitz. Non andavo al mare perché mi si vedevano tutte le costole. Oggi, invece, mi capita esattamente il contrario: non mi metto in costume perché ho paura di essere troppo grasso. A questo punto mi chiedo: ci sarà pure stato un momento in cui ero giusto? Per quanti sforzi faccia, non me lo ricordo: sarà capitato d'inverno.

Ma torniamo a Giselle e al veglione del '47. Fu una delle peggiori notti della mia vita: lei non mi amava più! Qualcosa doveva essere accaduto durante quelle maledette vacanze di Natale.

«Ciao, come stai?» mi disse appena mi vide e da quel momento non mi rivolse più la parola.

Io non conoscevo nessuno. Lei invece conosceva tutti: rideva con i Torre Padula, spettegolava con i Caracciolo, fraternizzava con i Pignatelli e parlava continuamente di persone che non avevo mai sentito nominare. Tra l'altro non afferravo nemmeno bene quello che dicevano.

«Ieri sera,» confidava ridendo a uno con la faccia da ebete «ho sgamato il Sanfedele che faceva le vasche con l'Annarita!»

«Sul serio?» rispondeva l'ebete. «Ma è vero che si spara le pose con l'Aurelia del cugino?»

Per me erano parole prive di senso: capivo però che avevo perso Gisella, anzi Giselle. La spiaggia di Bacoli divenne subito un «pallido ricordo del passato». Dopo la mezzanotte si mise a ballare con un uomo anziano, un trentenne, un certo Gian Filippo di Qualchecosa. Non credevo ai miei occhi: Giselle, la «mia» Giselle, completamente plagiata da un bellimbusto! Ecco perché mi aveva ignorato in quei giorni, ecco perché si era sempre fatta negare al telefono! Quello che più mi dava fastidio poi era che, dopo ogni ballo, i due spudorati non si staccavano, ma restavano fermi l'uno nelle braccia dell'altro fino a quando non ripartiva la musica. E pensare che per ogni brano era necessario ricaricare il grammofono con la manovella, cambiare la puntina e appoggiare con estrema attenzione il braccetto per non rovinare il disco: un'operazione che a dir poco durava due minuti.

A quel punto dovevo reagire, ma come? Finalmente mi venne un'idea formidabile: uscii sul terrazzo e decisi di non rientrare più nel salone. Sarei rimasto lì fuori fino a quando lei non sarebbe venuta a cercarmi.

«Avete visto Luciano?» avrebbe chiesto in giro.

«Chi Luciano?»

«Luciano De Crescenzo... quello del Vomero?»

«Mai sentito» le avrebbero risposto.

La notte era fredda ma la cosa non poteva che farmi

piacere: il freddo rendeva ancora più intenso il mio soffrire. Intanto mi preparavo le risposte.

«Ma che fai qua fuori?» avrebbe detto lei.

«Solo ora ti sei accorta che non c'ero!» avrei replicato io, guardandola con amarezza.

Purtroppo lei non arrivò mai. Arrivò invece la pioggia e io non mi mossi. «Benissimo,» pensai «così quando verrà mi troverà tutto bagnato.» (Potrei anche dire che «le gocce di pioggia si mischiarono alle lacrime», ma non lo dico.) Lo smoking di Pecoriello diventò una vera schifezza.

Il giorno dopo mi capitò fra le mani la pietra di Bacoli, e invece di buttarla via, come avrei dovuto fare fin dal primo momento, ci scrissi sopra una poesia:

> *Piccola pietra gelida,*
> *tolta dalla tua riva,*
> *tolta dal bacio assiduo*
> *del mar che a te saliva,*
> *scorda quel lido splendido,*
> *scorda che scordo anch'io.*

Ero giovane.

Gilda

Parlare del mio terzo primo-amore è difficile, se non addirittura impossibile, tenuto conto che sono passati appena ventisette anni dal matrimonio e che non ho ancora le idee chiare. Come gli storici, anch'io ho bisogno del filtro del tempo per capire le ragioni del cuore, e poi si tratta di mia moglie, e quindi mi si perdonerà se ho qualche problema a essere sincero.

La prima volta che la vidi aveva i calzettoni bianchi e il montgomery arancione: diciassette anni lei, ventinove io.

Tre anni di fidanzamento e quattro di matrimonio. Tranne l'ultimo, tutti gli altri li ricordo con piacere. L'incontro fu più o meno questo:

«Come ti chiami?»

«Gilda.»

E già dicendomi il nome mi fece innamorare. La storia potrebbe anche terminare qui: tutto il resto è secondario.

Mia mamma fu contraria al matrimonio fin dal primo momento. Aveva sognato per me una ricca ereditiera, e Gilda, poverina, a parte la bellezza e l'intelligenza, se la passava maluccio. In famiglia, all'inizio, ci furono discussioni interminabili. Mio cognato, che aveva il senso degli affari, obiettò che un giovanotto con quattro appartamenti di proprietà e una laurea in ingegneria, «girando per i paesi», avrebbe potuto incastrare chi voleva lui, perfino una milionaria.

Naturalmente, io mi sposai lo stesso. Dopo quattro anni mi separai. Tutti allora a dirmi «Te l'avevo detto io!» o *«Chi nun sente a mamma e pate va a finì addò nunn'è nate»*, e io mi consolai con Socrate il quale, a chi gli chiedeva consiglio se sposarsi o meno, era solito rispondere: «Fa' come vuoi, tanto in entrambi i casi ti pentirai».

Perché ci separammo? Perché succede.

Una mattina, mentre mi facevo la barba, lei mi disse: «Io vado via!».

Lì per lì non capii, anche perché ero di spalle.

«Se aspetti cinque minuti scendo anch'io» le risposi.

Poi mi voltai e mi accorsi che aveva una valigia in mano. Voleva andar via per sempre. Parlammo, litigammo, piangemmo (o per meglio dire: parlai, litigai e piansi) e decidemmo di fare un ultimo tentativo. Approfittando di una vacanza premio offertami dalla IBM, andammo insieme a New York: due settimane al Waldorf Astoria. Gilda però non ce la fece a resistere e dopo sette giorni volle tornare in Italia.

A raccontarla così, sembrerebbe che le colpe fossero tutte sue: in effetti, come sempre succede in questi casi, erano equamente distribuite. La verità è che, non avendo ancora nessuno dei due sessant'anni, eravamo immaturi. Meno male però che ci siamo sposati lo stesso, altrimenti oggi ci sentiremmo molto più soli.

Il *day after* fu davvero brutto: la prima notte mi feci a piedi, due volte, corso Vittorio Emanuele, quattro chilometri all'andata e quattro al ritorno. Poi tornai a casa per suicidarmi. Mentre salivo le scale sapevo già che non ne sarei stato capace, tuttavia mi dava sollievo pensarlo. Metodo scelto: il gas, una cosa semplice, pulita e senza spargimento di sangue. Col gas l'unico accorgimento da ricordare è quello di spegnere l'interruttore centrale, per evitare che poi qualcuno, suonando il campanello (lei che si pente e torna a casa!), inneschi un'esplosione.

Immaginare un suicidio è un esercizio tipico dei ragazzini che sono stati messi in castigo per qualche motivo. Pensare al dolore dei genitori, al pianto degli amici, al rimorso di chi li ha costretti all'insano gesto, procura loro un sottile piacere. Io, essendo già maturo, almeno anagraficamente, avevo bisogno di un po' di coreografia in più: una buona musica da suicidio, tanto per dirne una. Il concerto numero due di Rachmaninov lo scartai subito perché troppo scontato e troppo romantico, e poi gli amici che avrebbero detto? L'Adagio di Albinoni? Peggio di Rachmaninov: ormai lo suonavano anche nei bassi. Insomma ci voleva qualcosa di tenero, ma nello stesso tempo d'insolito, un pezzo raffinato, da intenditori, tale da costringere la gente a dire: «Lui sì che era colto e sensibile, lei invece, in quanto a musica, zero». Optai per la Quarta Sinfonia di Mahler diretta da Kubelik, cominciando però dal terzo movimento perché non volevo correre il rischio di morire sul secondo che non mi piaceva. Il problema piuttosto era quello di trovare Mahler tra i quarantacinque giri; e già, perché con l'interruttore generale spento non potevo usare lo stereo e il mangiadischi a pile non accettava i long playing. Chissà perché, mi chiedevo, tra i quarantacinque non c'è nulla di adatto a un gesto irreparabile. Fui costretto a rimandare.

Intanto scrivevo lettere di addio da far trovare accanto alla salma: quella per mia madre, quella per mia moglie con il perdono finale («Però Luciano in fondo quanto era buono!» avrebbero detto tutti) e quella per mia figlia da leggere nel giorno del suo diciottesimo compleanno. Se c'era qualcosa che mi faceva piangere, era la lettera a mia figlia. Piangere è facilissimo: basta tirar fuori una lacrima che subito dopo arrivano le altre. Ci si commuove del fatto che si sta piangendo. Più o meno è lo stesso meccanismo delle slavine.

Per quasi un anno restai come paralizzato: non concepivo nemmeno di poter ricominciare con un'altra donna, eppure mi rendevo conto che un riavviamento sessuale era improrogabile. In queste situazioni nessun proverbio è più azzeccato del famoso «Chiodo scaccia chiodo». Come esistono i centri di recupero per gli handicappati, così dovrebbero esistere quelli per i reduci dai disastri sentimentali. Un giorno un collega IBM mi disse: «Perché non provi con la maestrina?».

In via Partenope, proprio a due passi dalla sede IBM, si potevano ammirare alcune tra le più belle puttane di Napoli. Arrivavano in genere in tarda mattinata e s'intrattenevano ai tavolini del bar Caflisch sul lungomare. A vederle, così eleganti e distaccate, non sembravano nemmeno prostitute, bensì giovani signore sedute a prendere il sole. Una più di tutte destava la mia attenzione: tailleur beige e borsa di coccodrillo marrone, alta, con gli occhiali e i capelli castani, aveva una vaga rassomiglianza con Eleonora Rossi Drago. Noi la chiamavamo «la maestrina» per via degli occhiali. Mi feci coraggio e la fermai.

«Permette?»

Lei non rispose e mi guardò in modo strano. È inutile dire che io ero al colmo dell'imbarazzo. A parte la difficoltà di abbordare una prostituta, non ci dimentichiamo che ero a due passi dall'ufficio. D'accordo che alle nove di sera difficilmente i miei colleghi sarebbero passati da via Partenope, ma quante volte il direttore era tornato in IBM dopo l'ora di cena?

«Mi scusi,» balbettai «io volevo sapere quanto... e poi se la cosa...»

«Senta ingegnere,» m'interruppe lei sorridendo «io temo che la cosa, come la chiama lei, non sia possibile.»

«Come dice, scusi?»

«Volevo dire che con lei non me la sento» precisò «la maestrina» con molta dolcezza. Poi, vedendomi ancora più in imbarazzo, cercò di spiegarsi meglio: «Vede, ingegnere, io lavoro... diciamo così... qui da Caflisch, ma mi accompagno solo con persone che non conosco. Lei invece la conosco da sempre, da prima che si sposasse. Mi ricordo anche di quando sua moglie e la bambina la venivano a prendere all'ora di pranzo. A proposito, è parecchio che non le vedo».

«E sì... ed è proprio per questo che io... è da più di un anno che sono separato.»

«Le andrebbe di andarci a mangiare una pizza insieme?»

Lì per lì non seppi cosa rispondere.

«Non si preoccupi,» disse ancora lei «non ci vedrà nessuno. C'è una pizzeria qui accanto, proprio dietro Cappella Vecchia.»

E fu «la maestrina» a darmi una mano, non come prostituta, ma come psicoanalista. Per un paio di sere uscimmo insieme e io ebbi modo di raccontarle tutte le mie sventure. Lei mi ascoltò sempre con molta attenzione, mi dette utili consigli, senza mai parlarmi male di Gilda e, cosa ancora più importante, senza mai compatirmi.

Passò qualche altro anno e Gilda mi chiese l'annullamento del matrimonio. Il divorzio in Italia non era stato ancora introdotto e l'unica strada da tentare era la Sacra Rota. Tutte le nostre speranze (anzi tutte le sue, dal momento che io, personalmente, non avrei voluto sciogliere un bel niente) si basavano sul «vizio di consenso». In altre parole, lei doveva sostenere la tesi che era stato il padre a obbligarla con la forza.

«Cosa le disse suo padre?» le chiese il giudice ecclesiastico.

«O ti sposi il De Crescenzo o ti caccio di casa.»

«E lei cosa rispose?»

«Niente: a quell'epoca ero minorenne e non avevo alcuna possibilità di vivere al di fuori della famiglia.»

«Il De Crescenzo era d'accordo con suo padre?»

«Sì, era d'accordo.»

«Allora il vostro non fu un matrimonio d'amore?»

«No, fu un matrimonio concordato.»

«Tra suo padre e il De Crescenzo?»

«Sì, proprio così: tra mio padre e il De Crescenzo.»

E invece era stato un matrimonio d'amore. Tre anni di fidanzamento trascorsi mano nella mano, occhi negli occhi, cuore nel cuore, e non appena uno dei due si allontanava un poco ecco che l'altro gli correva dietro. Anche il primo anno di matrimonio fu un anno alla Peynet: avremmo voluto trascorrere la luna di miele in Francia, a Nizza, ma durante il viaggio mi prese il sonno e fummo costretti a fermarci a Sestri Levante. Era l'undici agosto del '61: in tutta Sestri non c'era nemmeno un buco dove poterci rifugiare. La prima notte la passammo in macchina, nel parcheggio di un albergo. Quando il portiere si rese conto che eravamo due sposini in viaggio di nozze, ci prestò i cuscini.

Durante il processo, la cosa che più mi fece soffrire era

essere chiamato «il De Crescenzo». Anche lei, quando era costretta a nominarmi, mi chiamava «il De Crescenzo» e mai una volta, dico una, che mi avesse chiamato Luciano.

«Ma come,» avrei voluto dirle «allora tutte le parole d'amore, le lettere, le telefonate, i pensieri e i baci che per sette anni ti ho dato chi è che te li dava: il De Crescenzo?»

Non fu affatto facile ottenere l'annullamento. Una delle operazioni più complesse si rivelò il reperimento dei testimoni. I giudici della Sacra Rota, per controllare la veridicità delle dichiarazioni, andavano in giro a interrogare chiunque fosse a conoscenza del nostro rapporto, ragione per cui una sera io e mia moglie fummo costretti a radunare tutti gli amici comuni e a consegnare loro un lungo elenco con le domande e le risposte possibili. Ma se con gli amici l'indottrinamento fu relativamente facile, con mia madre fu un'impresa disperata.

«Mammà,» le chiedevo ogni sera «tu vuoi che tuo figlio si crei una nuova famiglia e che non resti solo nella vita?»

«Certo che lo voglio, figlio mio bello!» rispondeva lei abbracciandomi. «E come puoi pensare che io che sono tua madre non possa volere la tua felicità!»

«Tu vuoi» insistevo io con inflessibilità socratica «che io trovi un'altra moglie che mi stia vicino?»

«Sì, però questa volta la moglie te la trova mamma tua: una moglie bella e brava, non come quella lì che ti ha fatto tanto soffrire!»

«E allora stammi a sentire: la prossima settimana verrà qui un prete a interrogarti. Ora io ti avverto, mammà: quello ti farà giurare sul Vangelo! Tu però, se veramente mi vuoi bene, dovrai dire una piccola bugia. Noi, tutti quanti, abbiamo testimoniato che Gilda non mi voleva sposare e che è stato suo padre a obbligarla con la forza.»

«Ma non è vero!»

«Lo so che non è vero, però noi dobbiamo dire che è vero, altrimenti i preti non ci danno il "vizio di consenso" e io senza il "vizio di consenso" non mi posso sposare un'altra volta.»

«E se mi sbaglio?»

«Se ti sbagli è un guaio per tutti quanti: per noi che non ci possiamo sposare e per la Sacra Rota che si perde qualche milione sui diritti di annullamento.»

Per un'intera settimana facemmo le prove, come se ci trovassimo a teatro.

«Signora,» dicevo io mentre le prendevo la mano e gliela poggiavo sull'elenco telefonico «giuri di dire la verità, tutta la verità, niente altro che la verità, dica lo giuro!»

«Lo giuro.»

«È vero che sua nuora non voleva sposare suo figlio e che fu il padre di lei a costringerla con la forza?»

«È vero.»

«Ed è vero che se sua nuora non avesse acconsentito al matrimonio, il padre l'avrebbe cacciata via di casa?»

«È vero.»

«E che suo figlio era d'accordo con il futuro suocero?»

«È vero.»

Rispondeva sempre «è vero, è vero», ma quando arrivò il prete inquisitore e al posto dell'elenco telefonico si trovò il Vangelo, disse tutta la verità.

«Padre,» sbottò piangendo «non è vero che il padre la obbligava: non è vero che lei non voleva: lei voleva e come! Ero io l'unica che non volevo, ed è questa la verità!» Poi, abbassando la voce per paura che noi, da fuori, la potessimo sentire, sussurrò: «È una settimana che mi stanno facendo fare le prove».

Il prete inquisitore riportò la testimonianza di mammà in questi termini: «Interrogata la madre del De Crescenzo, sono state ottenute solo risposte prive di significato, datosi che la signora ha ottantacinque anni ed è affetta da un principio di arteriosclerosi». E fu così che ottenemmo l'annullamento.

Oggi, come si dice, Gilda e io siam
mente non è che questa definizione mi
secondo me, siamo qualcosa di più.

Irenea

Irenea, figlia di Ipno e della Notte, era una ninfa dei boschi
che veniva in sogno a coloro che si bagnavano nelle acque
del fiume Alfeo. Io la conobbi a Caserta, sul set di un film
nel quale lavoravamo entrambi. Ricordo la reggia, il parco,
i grandi saloni, e lei che li attraversava con un passo da
principessa, come se ci fosse vissuta da sempre.

Per un attore fare cinema vuol dire soprattutto attendere: su dieci ore, quasi sempre nove sono di attesa e una di
lavoro. Ebbi quindi tutto il tempo che volevo per cono-
scerla a fondo e per farmi conoscere. Ne venne fuori una
storia stranissima che ancora oggi stento a credere possibile.

Più che una storia d'amore fu un coinvolgimento mentale. Ci piaceva metterci negli angoli, fuori dal casino del
set, e scambiarci idee o desideri. Parlavamo di tutto: di
scienza, di letteratura, di filosofia e di qualsiasi altra cosa ci
affiorasse alla mente. Irenea dimostrava una forte curiosità
per tutto ciò che potesse arricchire il suo sapere. Un giorno
le raccontavo la vita di San Simeone, un altro la relatività
ristretta, un altro ancora le spiegavo perché i ragni sarebbero stati gli ultimi abitanti del pianeta. E lei, per ricam-
biare, mi descriveva i luoghi che aveva visto o quelli che
avrebbe desiderato vedere: l'area sterminata dove veniva
scaricata l'immondizia di New York, un punto al largo della
baia di Shannon, dove una volta l'anno si radunano più di
duemila balene, la postazione italiana in Antartide, la Cina
dei villaggi dell'interno, il Messico attraversato in jeep, da
Vera Cruz fino a Città del Messico, lungo il percorso bat-

Cortez. Alla fine di ogni racconto, puntualmente, chiedeva: «E se ci andassimo insieme?». E io rispondevo sempre di sì, qualunque fosse stata la sua scelta, i trenta gradi sotto zero dell'Antartide o le zanzare giganti della zona equatoriale. Aderivo ciecamente ai suoi progetti e ogni volta mi andavo a documentare sul viaggio che avremmo dovuto fare: così un giorno mi procuravo il diario di Diaz sulla conquista del Messico e un altro il disco con i canti delle balene del Pacifico. Il nostro rapporto non escludeva un certo scambio di tenerezze: un giorno, per telefono, le dissi: «Ti voglio molto bene». E lei di rimando mi sussurrò: «Anch'io ti voglio bene», o forse disse solo: «Anch'io sto bene». La linea era disturbata.

Tra Cina, Antartide ed Equatore, finimmo con l'andare a Capri e, malgrado la vicinanza, fu di certo la scelta più pericolosa che avremmo potuto fare. Capri è uno scoglio tremendo. Un giorno qualcuno inventerà un contatore Geiger capace di misurare le radiazioni erotiche delle rocce, e quel giorno si saprà che Capri è il luogo più erotizzante del mondo. Da duemila anni, infatti, milioni di persone si sono innamorate guardando i Faraglioni, e ciò non sarebbe stato possibile se non ci fosse qualcosa di strano che viene fuori dalle rocce. Convinto di questa teoria, trascinai Irenea sul belvedere del Monacone, in quel preciso punto dove il tempo non passa finché un uomo e una donna ce la fanno a restare abbracciati.

«Mi vuoi bene?» le chiesi.

«Sì,» rispose lei «ma me ne vergogno.»

«Di cosa ti vergogni?»

«Di essermi fatta fregare dalla luna: trovo la cosa ridicola per una ex sessantottina.»

«D'accordo: allora torneremo a Capri quando non ci sarà più la luna, oppure quando piove a dirotto, e io ti chiederò ancora se mi vuoi bene.»

Ritornammo a Roma e qui ebbe inizio il mistero Irenea.

Tutto cominciò con una telefonata.

«Luciano, portami fuori a cena: ho bisogno di distrarmi... No, non venire a prendermi in albergo. Lo sai che ci sono i fotografi... Ci vediamo sul Lungotevere... alle nove... accanto al giornalaio di Largo Augusto.»

In macchina fu affettuosissima. Al ristorante poi, appena ci sedemmo, mi guardò come se avesse voluto leggermi negli occhi.

«Ma davvero mi ami? Non è che lo dici solo perché sei innamorato dell'idea dell'amore!»

«Come fai a dubitarne? Lo sai che sono Irenea-dipendente, che la sera non prendo più impegni, perché spero sempre che tu mi possa chiamare, magari all'ultimo momento.»

«Allora, se davvero mi ami, portami via. Io non posso restare qui: andiamo a Milano, a Parigi, in Cina, andiamo dove vuoi, ma scappiamo da Roma.»

«Per me possiamo partire anche subito: scegli tu stessa dove vuoi andare.»

«Andiamo a Capri.»

«Vengo a prenderti domani mattina alle dieci.»

In quel momento un cameriere si avvicinò al tavolo e le porse una piccola busta.

«C'è un messaggio per lei.»

Irenea lesse il bigliettino, poi, senza darmi nessuna spiegazione, si alzò in piedi e disse: «Scusami: debbo fare una telefonata».

Passarono dieci minuti, quindici, un'eternità, e io cominciai a preoccuparmi. Dopo venti minuti non ce la feci più ad aspettare e chiesi dove fosse il telefono. M'indicarono la cabina in un angolo della sala di ingresso: lei non c'era. Stavo per tornare al nostro tavolo, quando la vidi rientrare dalla strada.

«Scusami,» disse di nuovo «ho avuto dei problemi di famiglia. Cosa stavamo dicendo?»

Il clima era diverso: Capri si era allontanata. Anche il suo tono di voce era cambiato. Ovviamente pensai che ci fosse di mezzo un uomo.

«Niente d'importante,» risposi, cercando di essere indifferente «si stava parlando di tornare a Capri. Se sei sempre d'accordo, vengo a prenderti domani alle dieci.»

Lì per lì non disse nulla, continuò a sbucciarsi la mela senza farmi capire se voleva o no andare a Capri, poi, all'improvviso, come se avesse voluto liberarsi di qualcosa che la opprimeva, mi caricò a testa bassa.

«Senti Luciano: io credo che noi due non abbiamo più molte cose da dirci. Forse sarebbe meglio se per un po' di tempo non ci vedessimo!»

Da quella sera il nostro rapporto si fece sempre più difficile. Irenea divenne per me una specie di dottor Jekyll: un giorno tenera, affettuosa e piena di attenzioni, il giorno dopo distaccata, fredda e anche un po' crudele nei miei confronti. Un giorno mi sussurrava «Lucianino mio non mi lasciare» e un altro si rifiutava perfino di rispondere al telefono. Mi abituai ben presto a chiamarla Irenea-uno e Irenea-due, e, ogni volta che andavo a prenderla in albergo, mi chiedevo sempre con quale delle due sarei uscito.

Tutto divenne chiaro pochi giorni dopo. Avevamo entrambi un impegno di lavoro a Bologna: lei doveva intervistare, mi sembra, Lou Reed, e io dovevo ritirare un premio non so più presso quale Rotary. Prendemmo due camere adiacenti, la 222 e la 224 dell'Hotel Carlton, e decidemmo che ci saremmo ritrovati in albergo, a cose fatte. Fui io il primo a tornare: ero riuscito a schivare il dibattito e a svignarmela con la targa sotto braccio tra la delusione dei rotariani. Lei invece non tornava mai: mezzanotte, l'una, le due, e io sempre lì a sussultare al minimo rumorino dell'ascensore. Guardavo l'orologio, andavo alla finestra e ritornavo a sedermi in poltrona. Mi venne una tale rabbia che quando finalmente la vidi scendere da un taxi, decisi di non farmi trovare, e mentre lei prendeva l'ascensore, io scesi a precipizio giù per le scale.

Esco dall'albergo e comincio a girare per Bologna, così, senza meta. Ebbene, chi incontro per strada, stanca e avvilita come non mai? Lei, proprio lei: Irenea!

«Salvami,» m'implorò «portami via!»

Scappammo quella notte stessa, senza nemmeno tornare in albergo per ritirare i bagagli. Il mattino dopo raggiungemmo l'Argentario e qui, a Cala Moresca, nascosti a Dio e agli uomini, vivemmo due giorni fuori del tempo: Irenea, tenera, dolcissima, volle portarmi a vedere le spiagge dell'Uccellina, e in particolare un tratto di spiaggia che lei ricordava con molta nostalgia, essendoci stata in vacanza da bambina. Ci fermammo ai margini di un bosco dall'aspetto miracolosamente incontaminato. Unica presenza di vita, le orme lasciate dai cinghiali sulla sabbia. All'ombra di un pino marino, Irenea mi raccontò il suo dramma.

Qualche anno prima, presa da mille impegni, vincolata dai servizi fotografici, dalle interviste e dalle ospitate televisive, aveva conosciuto una ragazza «identica» a lei. La straordinaria somiglianza le suggerì di assumere la sosia per farsi sostituire all'occorrenza. Sennonché questa donna, seppure simile di aspetto, aveva un carattere tremendo: era fredda, razionale, puritana, e non ammetteva distrazioni sul lavoro. In breve tempo l'efficientissima Irenea-due aveva finito col prendere il sopravvento: era lei ormai a decidere cosa fare e cosa non fare, chi vedere e chi non vedere. Inutile precisare che tra le «distrazioni» non ammesse io ero al primo posto.

Di ritorno dall'Argentario, alle ore undici del 9 giugno riaccompagnai Irenea a Roma, all'Hotel Plaza e credo che quella fu l'ultima volta che la vidi. Nei giorni successivi, infatti, feci di tutto per avere un incontro con lei, ma non ci fu verso di vederla: era sempre la sosia a rispondere al telefono e ogni volta aveva una scusa per non uscire.

Il giorno del suo compleanno organizzai una festa in suo onore a casa mia. Non poteva non venire. Durante la cena, fu adorabile e carina come non mai, e io per tutta la sera mi chiesi chi era quella donna bellissima che regalava a tutti un sorriso: lei o la sosia? Il mio amore in libera uscita (magari col giuramento di mantenere le distanze) o la perfida numero due, sempre più perfetta e in grado di sostituirla? Non la persi di vista un attimo.

A un certo punto lei, sentendosi osservata, si voltò di scatto e mi chiese: «Perché mi guardi?».

«Perché mi ricordo di quella volta che andammo a vedere il miracolo di San Gennaro.»

«E allora?»

«Ti ricordi cosa mi dicesti in un orecchio, quando il santo fece il miracolo?»

«Che cosa?»

«Che il sangue si era sciolto perché veniva guardato con troppo amore dai fedeli. Poi aggiungesti: guardami anche tu con lo stesso amore e io mi scioglierò per te. Ebbene, io adesso ti sto guardando.»

«Sul serio dissi così?»

No, non era lei: la vera Irenea mi avrebbe risposto in tutt'altro modo.

Il giorno dopo se ne partì per l'America e non la vidi più. Una notte, però, mentre stavo tornando a casa lungo via del Corso, sentii dei gemiti provenire dalle prese d'aria delle cantine dell'Hotel Plaza: era la sua voce, la voce di Irenea.

«Luciano, Lucianino mio.»

«Irenea... Irenea: dove sei?» urlai io al massimo della disperazione, chinandomi verso le buie feritoie dell'albergo, ma non ebbi alcuna risposta. Un passante mi sentì gridare e si allontanò di fretta.

Irenea non era mai partita per l'America, era prigioniera nelle segrete dell'Hotel Plaza! Che fare? Chiedere spiegazioni al portiere di notte? Scavare un tunnel per poterla raggiungere nelle viscere della terra? Mi si dice che, partendo dai sotterranei del Foro di Traiano, è possibile arrivare, grazie a una serie di cunicoli e di gallerie, fino a piazza del Popolo. Da quella volta mi aggiro ogni notte nei dintorni dell'albergo nella speranza di poterla sentire. Sono passati otto anni e non ho più avuto sue notizie.

Semmai un giorno, o Irenea, riuscirai a leggere questo mio scritto, sappi che io ti salverò, che ti libererò dalle grinfie della tua aguzzina, e che quando finalmente potrò riabbracciarti, ti bacerò sugli occhi e sui capelli, e poi sull'angolo della bocca, lì dove, quando ridi, t'illumini tutta.

So benissimo che questa storia di Irenea non è verosimile. So anche che quella sera a Bologna, con ogni probabilità, devo essermi addormentato in poltrona. Mettiamo pure che fosse un sogno, mettiamo che fossero sogni anche le storie precedenti, una cosa è certa: ho amato davvero le donne che ho amato e soprattutto amo il loro posto vuoto accanto al mio.

IV
Santa Lucia

Fortunatina era alta un metro e dieci, massimo un metro e venti, e aveva le gambe a tal punto arcuate (a taralluccio diceva la gente) che gli scugnizzi di Santa Lucia, quando la incontravano, le lanciavano una palla di pezza giusto in mezzo ai piedi e gridavano gol ogniqualvolta la palla passava dall'altra parte. Tutti la chiamavano la *Storta*, anche perché quando camminava oscillava come un metronomo, tic tac tic tac tic tac.

La poverina avrebbe potuto avere qualsiasi età: venti anni come cinquanta. Le rughe del viso le conferivano un aspetto da vecchia saggia, mentre gli occhi chiari, celesti, estremamente mobili, non potevano essere che quelli di una giovane. Il suo cognome, Dussich o Tusbich, suggeriva una origine slava e dava credito alle voci che la volevano fuggita da un baraccone di zingari dove, secondo i bene informati, si sarebbe esibita come «fenomeno vivente».

Più che una strada, via Santa Lucia è un confine: divide le case dei ricchi da quelle dei poveri, i palazzoni del lungomare dalle casupole del Pallonetto, i negozi eleganti del marciapiede sinistro dalle botteguccе artigiane del marciapiede destro.

La *Storta* abitava in un basso, un ex deposito di frutta, di proprietà di tale Armando *Mezalengua*, fruttivendolo del marciapiede dei poveri: brava persona, di animo gentile, religiosissimo. *Mezalengua* aveva una sola paura: che si venisse a sapere in giro che lui era buono, ragione per cui chiese a Fortunatina di non rivelare a nessuno che non si faceva pagare per l'affitto. Il basso, essendo situato sotto una delle tante scalinate del Pallonetto, era poco più alto della sua inquilina e non aveva né servizi igienici, né energia elettrica: la cosa comunque non preoccupava la *Storta* più di tanto, anche perché, in caso di bisogno, c'era sempre Recchietella, il suo vicino di basso, più noto come *'o Munnezzaro zuoppo*, che le imprestava a seconda delle esigenze ora la toilette, ora il filo elettrico con la lampadina già accesa.

Il mestiere di *munnezzaro*, da non confondersi con quello di *scopatore*, era all'epoca il livello più basso della Nettezza Urbana. Il *munnezzaro* prelevava l'immondizia direttamente nelle case dei cittadini, mentre lo *scopatore* si limitava a ramazzarla per strada. Il simbolo del *munnezzaro* era il sacco, quello dello *scopatore* la scopa. Inutilmente Recchietella aveva fatto presente che da ragazzo aveva avuto la poliomielite e che con quella gamba fasulla non sarebbe mai riuscito a salire e a scendere le scale con la necessaria rapidità. Gli fu risposto che la promozione la si poteva ottenere solo per anzianità e che lui era ancora troppo giovane.

Con il tempo lo scambio di cortesie tra i due vicini di casa s'intensificò: la *Storta* faceva trovare al *Munnezzaro* il suo basso sempre più in ordine, e Recchietella ricambiava lasciando per l'amica, di tanto in tanto, un «bronzo» o un «nickel»[1] accanto al lumino della Madonna di Pompei. Finché un bel giorno Fortunatina sparì dal quartiere e nessuno

---

[1] Il bronzo corrispondeva a una moneta da cinque centesimi e il nickel a una da dieci centesimi.

la vide più in giro, né a chiedere l'elemosina fuori della parrocchia di Santa Lucia, né al borgo marinaro dove in genere caracollava, come uno scarabeo stercorario, tra barche a secco e pescatori, per farsi regalare qualche pesciolino di scarto.

Una sera Armando *Mezalengua*, passando accanto al basso di Fortunatina, percepì un lieve rumore, quasi un lamento. Bussò con forza e nessuno rispose. Chi stava rinchiuso nel basso della *Storta*? Un mendicante? Un cane? Un gatto? Un fantasma? Cominciarono ad arrivare i primi curiosi. Qualcuno accostò l'orecchio alla porta e, rivolto verso gli altri, disse: «Io sento un respiro, una specie di rantolo affannoso». Allora *Mezalengua*, fattosi coraggio, forzò la porta del terraneo e nel buio più fitto intravide Fortunatina sdraiata, al centro del locale, su un materasso di stracci e con una pancia enorme: era incinta!

Era accaduto l'incredibile: qualcuno si era accoppiato con la *Storta*! E non ci volle poi tanto a capire chi poteva essere stato questo qualcuno. Il popolino di Santa Lucia «fece» subito i numeri: 11 *'o Munnezzaro*, 33 *'a Storta* e 56 la femmina incinta. Non ne uscì nemmeno uno, segno che la storia nascondeva altri significati.

«Ma perché non hai detto niente a nessuno?» le chiese *Mezalengua*.

«Perché *mi mettevo scorno*[2] per lui» rispose con candore la *Storta*. «Non volevo che si sapesse che aveva avuto il coraggio di fare l'amore con me.»

La paternità fece bene a Recchietella: nel giro di un paio di mesi fu promosso *scopatore*. Vederlo ramazzare su e giù per Santa Lucia era un vero piacere: la gamba rigida e la scopa procedevano all'unisono, ora divaricandosi a compasso, ora ritornando parallele, avendo come accompagnamento sonoro il ritmico alternarsi dei due strusci, quello

---

[2] Mi vergognavo.

dei rametti di saggina e quello della gamba fasulla. Nel frattempo tutta Santa Lucia si dava da fare per aiutare Fortunatina. Fu organizzata una *riffa*, con il ricavato della quale venne comprata una culla e un corredino per neonato.

Il bambino nacque sano e bello: aveva le gambe dritte e affusolate e gli occhi azzurri come la madre.

Scoppiò la guerra e Recchietella, che era iscritto al Partito Fascista, fu nominato caposquadra dell'UNPA, ovvero dell'Unione Nazionale Protezione Antiaerea, incarico di particolare responsabilità che consisteva nel far sì che tutti osservassero le leggi sull'oscuramento. Gli furono assegnati in dotazione un elmetto, una zappa, due sacchetti di sabbia, un estintore, una maschera antigas e un triciclo a motore. Finalmente ebbe modo di vendicarsi di tutte le umiliazioni che aveva patito da *munnezzaro*: quei portieri altezzosi che per anni gli avevano impedito l'uso dell'ascensore, con la scusa che il sacco «puzzava», ora si vedevano multati alla minima infrazione. Una finestra delle scale lasciata aperta, un vetro non bene annerito, erano più che sufficienti per farli convocare in questura.

Anche Fortunatina era progredita nella scala sociale: ora non faceva più la mendicante sul sagrato della parrocchia di Santa Lucia, ma lavorava alle dipendenze di Totonno *'o Venticinque*, così chiamato perché aveva cominciato la sua carriera di *borsanerista* vendendo *coppetielli* con venticinque chicchi di caffè. Fortunatina era addetta alle consegne. Essendo inimmaginabile che qualcuno avesse il coraggio di perquisirla, trasportava zucchero, caffè e olio a casa dei «signori».

Tutto stava andando per il meglio quando una domenica d'agosto una tempesta di fuoco sconvolse la città di Napoli: una nave carica di esplosivi scoppiò nel porto, seminando ovunque morte e distruzione. Le ancore della nave furono trovate addirittura sulla collina del Vomero. Recchietella, proprio in quel momento, stava attraversando con la sua motoretta il piazzale del porto per andare alla prima comunione del figlio. Di lui non fu trovato più nulla, nemmeno la maschera antigas. Qualcuno andò in chiesa ad avvisare Fortunatina. La *Storta* non disse nulla: prese il ragazzino e lo affidò al parroco, dopo di che si avviò piano piano, con la sua andatura sbilenca, verso il basso. Quelli che la seguirono raccontano che si chiuse la porta alle spalle e che, subito dopo, il basso si illuminò come se all'interno ci fossero stati cento lampadari da mille candele. Raggi di luce uscivano da ogni dove: dalla soglia e dalle fessure laterali dei portelli. Quando tutto tornò come prima la gente entrò nel basso e non ci trovò più nessuno: Fortunatina era sparita nel nulla

Io sono nato in un quartiere così, un quartiere dove durante le notti d'estate, quando fa troppo caldo per dormire, le donne dei bassi raccontano storie come questa. Cominciano dicendo: «C'era una volta *'na storta e 'nu munnezzaro zuoppo* che si volevano tanto bene...» e finiscono con una frase che è più un desiderio che una convinzione: «E ora stanno tutti e due con gli angeli: sono alti e forti e corrono come ragazzini sui prati del Paradiso».

Santa Lucia è stata, con ogni probabilità, il primo insediamento greco consolidatosi in Campania. Nel IX secolo avanti Cristo una ciurma di achei (o di marinai anatolici, fa lo stesso) si lasciò sedurre dalla felice configurazione della costa e decise di sbarcare sulla spiaggia del Chiatamone per fondare una nuova città: Partenope. La zona offriva tutto quello che un colonizzatore greco avrebbe potuto desiderare: un porticciuolo riparato, all'interno di un golfo dalle acque tranquille, un'isola, quella di Megaride (oggi Castel dell'Ovo), abbastanza vicina da poter essere usata come sentinella a mare, il monte Echia a ridosso a fare da Acropoli, e per finire un ampio vallone alle spalle (l'attuale via Chiaia) che la proteggeva da eventuali attacchi da terra.

Fino a pochi decenni fa via Santa Lucia dava direttamente sul mare, poi, agli inizi del secolo, un ambizioso progetto urbanistico fece avanzare la riva di un centinaio di metri e prescrisse la costruzione, proprio davanti alle case dei pescatori, di un nuovo quartiere residenziale: il Rione della Bellezza. Il *luciano*, che per quasi tremila anni si era svegliato ogni mattina guardando il mare, un bel giorno si trovò davanti una doppia fila di palazzi di stile umbertino e di conseguenza odiò con tutto il cuore i nuovi arrivati. Io ero tra questi.

Ne nacque una specie di *apartheid* reciproca: noi, ritenendoci benestanti, chiamavamo loro *'e fetiente*, e loro ci soprannominarono *figli 'e zoccola*, nella convinzione che fossero state le nostre mamme, con i proventi della prostituzione, ad acquistare le case del lungomare. Il territorio fu diviso, per tacito accordo, in due zone distinte: da un lato i nuovi palazzi e dall'altro il Pallonetto, con tutte le catapecchie dei *luciani* abbarbicate alla montagnola come una nidiata di cozze. In mezzo: via Santa Lucia, in pratica una «via Pal» pericolosa anche da attraversare.

Un muro invisibile divideva il quartiere: noi frequentavamo la parrocchia di Santa Lucia, loro la chiesa di Santa Maria della Catena, noi ci servivamo dal fruttivendolo Menichiello, loro da Armando *Mezalengua*, noi prendevamo il gelato al Bar Garofalo (qualche volta anche seduti ai tavolini, però solo se stavamo con i nostri genitori), loro in piedi al Bar Calone, noi compravamo pane francese e grissini al Vapoforno Fiorelli, loro pane cafone e taralli con il pepe da *Carmelina 'a Caivanese*. Ogni sconfinamento veniva considerato una provocazione.

A volte si organizzavano vere e proprie spedizioni punitive. Ci armavamo con mazze di legno e scudi ricavati dai coperchi dei bidoni dell'immondizia e attraversavamo via Santa Lucia urlando come pellirossa per piombare all'improvviso su un gruppetto di *luciani* intenti a giocare a pallone. Altre volte invece erano loro a invadere il nostro territorio e noi a doverci difendere. Uno degli sport più pericolosi della mia adolescenza fu la *guaianella*: ci si dava appuntamento ai giardinetti del Molosiglio e a un segnale convenuto ci tiravamo addosso quante più pietre riuscivamo a trovare. La disgrazia non consisteva tanto nell'essere colpiti, quanto nel fatto di tornare a casa sanguinanti e prenderle una seconda volta dai genitori. Io avevo una grossa fortuna, un amico fortissimo: si chiamava Carlo Pedersoli (oggi più noto come Bud Spencer), abitava nel mio stesso palazzo ed era mio compagno di scuola. Carlo, pur avendo un carattere mite, mi superava in altezza di almeno dieci centimetri e la sua statura era più che sufficiente a mantenere a debita distanza tutti gli *apaches* del Pallonetto.[3]

---

[3] A parte le scazzottature, Santa Lucia era un quartiere tranquillo. Per capire l'aria che vi si respirava ecco alcune notizie di cronaca prese dal giornale «Il Mattino»:
  «La piccola Francesca De Cicco è stata investita dalla bicicletta pedalata da tale Giuseppe Genovese. I sanitari del Loreto le hanno riscontrato ferite alla fronte» - 10 luglio 1935.
  «Sfortunato il proprietario dell'Augusta NA-1785. Il suo autista Puglisi prelevava abusivamente l'auto dal garage e, a causa di un'imprudente manovra, andava a cozzare con violenza contro un muro, danneggiando seriamente la vettura, per poi abbandonarla lungo la strada, dove, in un secondo momento, la polizia l'avrebbe trovata» - 23 luglio 1935.
  «Francesco Fiore, mentre si trovava in tram sulla linea 3 all'altezza di via Cesareo Console, si è accorto che uno sconosciuto stava per portargli via il portafoglio. Il Fiore, una volta agguantato il lestofante, lo ha consegnato nelle mani del vigile urbano Pasquale Gallo che lo ha accompagnato in questura. Qui il ladro è stato identificato per tale Salvatore Acri di anni 60, incensurato» - 4 settembre 1935.
  «È stata medicata ai Pellegrini la ventinovenne Anna Cuomo, domiciliata a via Pallonetto 33. La donna ha dichiarato agli agenti di essere stata bastonata e morsicata al dito medio della mano destra dalla sua vicina di casa, Filomena Bianchetti di anni 28» - 5 novembre 1936.
  «Verso le due pomeridiane in via Santa Lucia una signora si è messa a gridare come un ossesso facendo accorrere quanti stavano in quel momento per strada e

Una domenica, punto dalla curiosità, invece di recarmi come al solito in parrocchia, attraversai la strada e andai a sentir messa a Santa Maria della Catena, la chiesa dei *luciani*. Volevo vedere da vicino la tomba dell'ammiraglio Francesco Caracciolo, l'eroe napoletano impiccato da Nelson, e soprattutto il quadro della Madonna con le famose catene d'oro ancora appese al dipinto. Sulla Madonna cara ai *luciani* si narravano varie leggende: tra tutte, la più bella me l'ha raccontata Filuccio, un pescatore handicappato che, dopo aver perso una gamba su una mina, vendeva acqua sulfurea all'inizio del Chiatamone.

Siamo ai primi del Settecento: i *luciani*, come i giapponesi, erano famosi in tutto il mondo per la loro abilità di pescatori subacquei, sia per le profondità che riuscivano a raggiungere che per la durata delle loro immersioni. Erano dei veri e propri «palombari nudi». Il più bravo di tutti si chiamava Ricciulillo, un ragazzo di venti anni, riccio di capelli e scuro di pelle come un saraceno.

Ricciulillo era diventato capofamiglia a soli tredici anni quando, perso il papà, si era trovato a dover provvedere ai bisogni di una madre e di quattro fratelli. In quei giorni difficili fu molto aiutato da un certo don Gaetano, detto 'o 'Nzalatiello, proprietario di una *paranza* di barche e capo riconosciuto del porto di Santa Lucia. Don Gaetano aveva una figlia, Regina, di due anni più giovane di Ricciulillo, e a tutti sembrò naturale che le due famiglie si mettessero d'accordo per farli sposare. Ricciulillo avrebbe fatto sicuramente un affare: *'o 'Nzalatiello* era ricco e Regina era figlia unica. E anche don Gaetano, tutto sommato, non avrebbe avuto di che lamentarsi: il ragazzo era un ottimo lavoratore e la figlia aveva una terribile cotta per lui. Tutti insomma erano per il matrimonio tranne lui, Ricciulillo, che nel frattempo s'era innamorato di un'altra ragazza, Teresenella, povera ma ovviamente onesta.

Il rifiuto fu considerato un'offesa e da quel momento in poi Ricciulillo non fu più ricevuto in casa di don Gaetano. Anche il lavoro gli venne a mancare, giacché a Santa Lucia *'o 'Nzalatiello* dettava legge e nessuno, per rispetto del *capoparanza*, comprava più il pesce da Ricciulillo. Un giorno però un armatore francese venne a Napoli e assunse il ragazzo e un'altra decina di sommozzatori per un recupero da fare a Marsiglia. L'occasione era troppo bella per lasciarsela scappare: finalmente Ricciulillo avrebbe guadagnato i soldi necessari per sposare Teresenella! Il poverino però aveva fatto i conti senza Regina.

Non appena il ragazzo s'imbarcò per la Francia, Regina si rivolse alla maga Soricella, una fattucchiera che praticava i sortilegi in una grotta di Pizzofalcone, e le chiese di far morire la rivale. La maga si fece dare prima una moneta d'argento, poi prese una sardella viva e dopo averle messo in bocca un piombino e un pezzetto d'aglio, la trafisse con diciannove spilli, tanti quanti erano gli anni di colei che doveva morire. Da allora Teresenella cominciò a soffrire di un male misterioso: aveva sempre la febbre alta, non poteva dormire la notte e la pelle le bruciava in ogni punto del corpo. Qualcuno la informò che era vittima di una fattura.

Intanto Ricciulillo stava per tornare da Marsiglia. Una tremenda bufera quella notte sconvolgeva le acque del golfo. La furia del mare era montata a tal punto che le onde avevano allagato le case dei *luciani* vicine alla riva. Il libec-

cio soffiava a più di cento chilometri l'ora. Teresenella
ebbe un presentimento: il suo uomo era in pericolo di vita!
Nonostante la febbre le facesse battere i denti, andò a piedi
fino a capo Posillipo per scorgere prima degli altri la *martingala* dei sommozzatori che tornava dalla Francia e la vide
proprio nel momento in cui l'imbarcazione si andava a inca-
gliare sulla secca di Pietra Salata.

Il mattino dopo, quando le acque si calmarono, alcuni
pescatori trovarono i resti della *martingala* e il gozzo sven-
trato di Teresenella: evidentemente la ragazza era uscita
per mare in suo aiuto. Più tardi, sulla spiaggia di Trenta-
remi furono trovati i corpi dei due giovani teneramente
abbracciati. Accanto a loro, e perfettamente asciutta, c'era
una cassetta di legno con un quadro della Madonna e una
catena d'oro, segno questo che la Madre Celeste li aveva
congiunti per sempre in matrimonio.

I *luciani* sono una tribù rimasta uguale nel tempo.
Sarebbe un errore considerarli *tout court* napoletani, o peggio che mai italiani. Durante la guerra un gruppo di famiglie del Borgo Sant'Antonio Abate, avendo perso la casa
sotto i bombardamenti, si trasferì al Pallonetto. Ebbene,
ancora oggi i figli dei figli di questi profughi non sono riu-
sciti a farsi accettare dai *luciani*. Vengono chiamati i *buveresi*[4] e considerati stranieri.

Quand'ero ragazzino ho visto la Regina dei *luciani* uscire
in carrozzella con alle spalle *'o bufalo* che le dava aria col
ventaglio. Aveva lo sguardo altero, i capelli e gli occhi neri
come la notte, lo scialle di seta e la *pettenessa* di tartaruga.
Si dice che avesse ucciso il suo uomo solo perché questi
l'aveva tradita guardando un'altra. Si dice anche che un

---

[4] «Buveresi» viene da «buvero» che in dialetto vuol dire borgo.

luciano innamorato si fosse accollato il delitto, e quando nel mio quartiere una cosa «si dice» è come se fosse realmente accaduta.

Ricordo Ninetta l'acquaiola, ancora oggi presente alla curva di via Cesareo Console, davanti all'ingresso del Circolo Canottieri. Me la ricordo giovanissima e sensuale, sempre sorridente e sempre abbronzata, che soggiogava i passanti con il suo grido: «*Avita vevere, avita vevere!*», ossia «Dovete bere». Impossibile non fermarsi. Ogni volta che si chinava per prendere una *mummarella* d'acqua sulfurea lasciava intravedere appena appena la coscia e un brivido di desiderio ci scuoteva come una scarica elettrica. Tutti i soci del circolo erano innamorati di lei.

Ho conosciuto *Palummiello*, un pescatore di 85 anni che non dormiva mai e passava la notte al Borgo Marinaro a guardare il mare. Aveva la pelle del viso tutta pieghettata e gli occhi smarriti di chi ha navigato tutta la vita. *Palummiello* era un poeta e aveva visto le sirene.

«*Palummiè*,» gli chiedevano i ragazzi «ma com'erano le sirene?»

«Tenevano la pelle d'argento come le alici e i capelli come la luna.»

«E dov'è che le hai viste?»

«Ero imbarcato su una nave genovese che trasportava ferro dall'Inghilterra. Eravamo al largo delle coste portoghesi, quando una brutta notte scoppiò una tempesta che non vi dico. Non un porto, non un buco dove poterci riparare. I marinai avrebbero voluto buttare il carico a mare, ma il capitano prese un fucile e disse che il primo che si azzardava a toccare un tondino era un uomo morto. Io stavo al timone quando improvvisamente vidi comparire a babordo un'insenatura. "Là, là," gridai come un pazzo "dietro a quel capo c'è una rada!" Ma il capitano subito mi contraddisse: "*Nun dicere fessarie, Palummiè*, su questa costa non ci sono ripari: tira dritto e non cambiare rotta!".

Eppure io la vedevo: era una spianata di mare calma calma, come l'acqua che sta nell'acquasantiera... che la Madonna della Catena *m'avesse fulminà* se non è vero! Quand'ecco che davanti a me, a prua, vedo pure lei...»

«La sirena?»

«Sì, la sirena. Altri marinai, più vecchi di me, mi avevano avvertito: "*Palummiè*, se vedi una donna nuda nella tempesta, non ti fidare: è un'allucinazione! Te la manda *'o Demmonio* per farti morire mentre hai nella mente il peccato". Ma quella non era una donna qualsiasi, non era una femmina da letto!»

«E chi era?»

«Era Assuntina, la donna che io avevo amato tutta la vita. E mi diceva: "*Viene Palummiè, viene: abbracciame ca te voglio dà 'nu vaso!*". E io ero lì lì per virare quando il capitano mi buttò per terra colpendomi con il calcio del fucile.»

I *luciani* sono marinai e i marinai, lo sanno tutti, non sono persone normali: quando stanno a terra si radunano intorno alle barche e, per far passare il tempo, si raccontano storie una più incredibile dell'altra. Parlano di paesi sconosciuti, di animali con due teste, di femmine assatanate e di tesori nascosti che basta andare sul posto per portarseli a casa. Forse sarebbe buona norma non starli nemmeno a sentire. I *luciani*, in particolar modo, dicono tante bugie. La colpa, a mio avviso, è tutta del mare di Santa Lucia che la notte si muove e non sta mai fermo. A volte, dopo il tramonto, basta ascoltarli mezz'oretta che poi ogni cosa ti sembra possibile.

V

Il compagno di scuola

I compagni di scuola hanno solo il cognome: per me Masturzo era Masturzo e basta. Era alto e magro e andava malissimo in matematica.

« $ax^2 + bx + c = 0$ » ripeteva senza convinzione «e che vuol dire?»

«È un'equazione di secondo grado» rispondevo io.

«E chi è "a"?» chiedeva di nuovo lui.

«È un numero qualsiasi.»

«Quale numero?»

«Se ho detto qualsiasi, vuol dire qualsiasi, no?» gridavo senza un minimo di pazienza. «Per questo si scrive "a" e non si scrive un numero!»

In compenso era il più bravo a pallone: era il centrattacco titolare del ginnasio e spesso giocava anche con quelli del liceo. Io l'aiutavo nei compiti scritti di matematica e lui mi risparmiava l'umiliazione dell'ultima scelta. Secondo le regole non scritte della Villa Comunale, prima di ogni partita i due capitani facevano la conta per scegliere i giocatori. Più si restava tra quelli ancora in attesa e più aumentava lo scorno. Il peggio che poteva capitare era di restare ultimo e solo, come un cane randagio, non voluto da nessuno, il che accadeva ogni volta che si era in numero dispari: lo scartato dava luogo a un'ipocrita gara di cortesia tra i capitani («Prenditelo tu...» «No grazie, è meglio che te lo prendi tu»).

Fu dopo la pagella del primo trimestre che Masturzo mi chiese se potevo dargli una mano in matematica.

«Anche subito, vuoi che venga io a casa tua?»

«No,» rispose lui «è meglio se andiamo da te.»

Mia madre, vedendolo così alto, gli chiese:

«Quanti anni hai?»

«Sono ripetente.»

«Hai fratelli?»

«Mia mamma è incinta.»

«E tuo padre che fa?»

«L'industriale.»

Quest'ultima risposta lasciò di stucco mia madre: Masturzo vestiva male, anzi malissimo, e negli anni Quaranta l'aspetto era tutto: i poveri vestivano da poveri e i ricchi da ricchi. Io, per esempio, avendo un padre commerciante, con negozio in pieno centro, uscivo in giacca, cravatta, pantaloncini blu fino al ginocchio e calzettoni bianchi. Se fossi stato povero, non solo non avrei posseduto abiti del genere, ma non mi sarebbe stato nemmeno permesso indossarli.

Chiaramente mammà si preoccupava delle mie amicizie: il suo motto era «Frequenta solo chi è meglio di te e fanne le spese».

«Qualche volta vai a casa sua,» mi diceva «cerca di capire che mestiere fa il padre.»

Ma Masturzo, ogni volta che glielo proponevo, riusciva sempre a trovare una scusa per non lasciarmi andare.

«*Puveriello,*» commentava mammà «quello, secondo me, a casa sua non ha niente da offrirti e allora si mette vergogna.»

Non che noi chissà che cosa gli offrissimo; però riuscivamo sempre a rimediargli qualcosa: o una fetta di torta, o un po' di castagnaccio o un formaggino Mio. Lui invece, secondo mammà, era povero e si vergognava di esserlo. Certo è che non riuscivo ad andare a casa sua e forse non ci sarei mai riuscito, se una mattina la madre non fosse venuta sotto la scuola a dirmi che il figlio era malato e che aveva bisogno di me per i compiti.

Abitava in via Egiziaca a Pizzofalcone, in zona Montedidio: uno dei quartieri più poveri e ricchi della città di Napoli: nobiltà e popolino, professionisti e venditori ambulanti, palazzi nobili dai cortili principeschi (come quello dei Serra di Cassano) e stamberghe prive di luce e di servizi igienici. Per me che andavo ogni giorno da papà, in piazza dei Martiri, arrivare fino a Pizzofalcone era uno scherzo: mi bastava fare un pezzo di via Chiaia e poi prendere l'ascensore per Montedidio.

Trovai Masturzo coricato nel letto matrimoniale.

«Questo non è il letto mio,» tenne a precisarmi non appena mi vide «io dormo sul divano in camera da pranzo: adesso sto qua perché sono malato. Avete giocato oggi?»

«Sì.»

«Con chi avete giocato?»

«Con la terza A.»

«E che avete fatto?»

«Abbiamo perso 2 a 0.»

«*Mannaggia 'a morte!* Appena mi alzo dal letto li voglio seppellire di gol a quei quattro *ricchioni*!»

«Tu non seppellisci proprio nessuno, hai capito!» gli gridò la madre dalla cucina. «In questa casa è proibito ammalarsi, anche perché non ci possiamo permettere spese voluttuarie. Il tuo amico, se vuole, si può ammalare pure tutti i giorni, tu no. Lui ha il negozio in piazza dei Martiri. Tu invece, con il mestiere che fa tuo padre, sei condannato a stare sempre bene.»

E ogni volta tornava in ballo il mestiere del padre.

«Ma può essere che non riesci a sapere quello che fa!» mi chiedeva mammà. «Fuori alla porta come sta scritto?»

«Sta scritto Cav. Masturzo.»

«Allora è cavaliere?»

«Così lo chiamano.»

«Ma cavaliere di che?» insisteva mia madre. «Che fa per mantenere la famiglia?»

«Viaggia.»

«E tu come fai a saperlo?»

«Perché una volta il portiere di via Egiziaca gli ha detto: "Buongiorno cavaliè, come è andato il viaggio questa volta?".»

«E lui come ha risposto?»

«Ha detto: "Bene".»

«E basta?»

«E basta.»

Magro, più basso del figlio, quarant'anni che sembravano cinquanta, capelli neri all'Umberto, vestito blu rigato, non troppo scuro, scarpe nere sempre lucide, soprabito da mezza stagione grigio topo (in dialetto: *scemìss*), cravatta nera per chissà quale lutto in famiglia e una valigia di pelle marrone, rinforzata da due cinghie di colore più scuro. Viaggiava moltissimo: linea Napoli-Reggio Calabria. Partiva il martedì e tornava il venerdì.

«Di Venere e di Marte, non ci si sposa e non si parte!» era solito dire, ridacchiando. «Se fosse vero, io a quest'ora dovrei già essere morto.»

Quando tornava da un viaggio, prima ancora di dare un bacio alla moglie, apriva la porta di una stanzetta misteriosa situata in fondo al corridoio e vi andava a depositare la valigia. Poi entrava in camera da pranzo, si accomodava su una vecchia poltrona di stoffa, allungava le gambe e chiudeva gli occhi, quasi come se volesse assaporare l'avvenuto ritorno a casa. Sempre tenendo gli occhi chiusi, chiedeva al figlio:

«Hai studiato?»

«Sì.»

«Sarà» ribatteva lui, niente affatto convinto.

Il cavaliere passava tutto il sabato e tutta la domenica pomeriggio chiuso nella stanzetta. Un giorno che si allontanò per cinque minuti per andare in bagno, Masturzo m'invitò a entrare.

«Facciamo presto» mi disse «che quello subito torna.»

Ma non facemmo in tempo ad arrivare in fondo al corridoio che la madre di Masturzo si mise di mezzo.

«Quante volte debbo dire che papà non vuole che si entri nel laboratorio!»

Alla parola laboratorio mi vennero in mente Cagliostro e Paracelso. Immaginai il cavaliere, col mantello da alchimista sulle spalle, che faceva esperimenti pericolosissimi alla ricerca della pietra filosofale; anche perché, da quel poco che avevo capito, solo la pietra filosofale avrebbe potuto risolvere i problemi economici di casa Masturzo. Una sera lo vidi uscire dalla stanzetta con un alambicco fra le mani: aveva i capelli arruffati e uno sguardo diabolico negli occhi. Sembrava Jekyll un attimo prima della trasformazione.

«Ma perché non lo chiedi direttamente a lui?» mi diceva mia madre. «Tu glielo dici tomo tomo, come se la cosa non ti interessasse. Gli dici: "Caval"ie: ma che fate tutto il giorno nel laboratorio?".»

«Gliel'ho chiesto e mi ha risposto che inventa nuovi tipi di profumo.»

«Ma allora è profumiere?»

«L'odore si sente, poi io che ne so?»

Il laboratorio aveva una porta a vetri opachi martellati. Quando il cavaliere lavorava s'intravedeva la sua ombra china sul banco degli esperimenti. Un giorno si affacciò alla porta e disse alla moglie:

«Carmè, fammi un piacere: scendi giù alla Lampo e vedi se sono pronte le etichette.»

Il mistero Masturzo si chiarì il giorno in cui il cavaliere si sentì male. Noi stavamo studiando come al solito in camera da pranzo, quando sentimmo un rumore di vetri infranti e subito dopo un tonfo. Ci precipitammo nel laboratorio e trovammo il poveruomo steso per terra in mezzo a un mare di bottigline rotte. Un odore acutissimo di profumo aveva invaso tutta la casa.

Mentre lo aiutavamo ad alzarsi, vidi un gran tavolo di marmo, un lavello come quello della cucina, una bilancia da farmacista, un piccolo imbuto di vetro e poi bottiglie e bottigline dalle forme più svariate, a tubo, a palloncino, tonde, piatte, piccole, grandi, trasparenti, azzurre, rosa, con e senza spruzzatore.

Non senza fatica riuscimmo a portarlo in camera da letto. Lui intanto si era alquanto ripreso e c'invitava a restare calmi. Ripeteva continuamente «Non è niente, non è niente», ma era chiaro che lo diceva più a se stesso che a noi.

«Ho bevuto un bicchiere d'acqua troppo fredda e deve avermi fatto male.»

Si sdraiò sul letto matrimoniale, sopra la coperta di raso, così come stava, con tutte le scarpe.

«Papà, come ti senti?» chiese Masturzo.

«Adesso sto bene, tu però va' a chiamare il dottore.»

Rimasi solo col cavaliere. Accostai una sedia accanto al letto e gli tenni compagnia senza parlare. La madre di Masturzo era uscita poco prima dell'incidente e non c'era speranza che tornasse prima di un'ora: non restava che attendere in silenzio l'arrivo del medico.

A un certo punto il cavaliere chiuse gli occhi e io mi spaventai moltissimo. Anche se mi fossi accostato al suo viso (cosa che comunque non avrei mai fatto), non sarei stato in grado di capire se era morto o addormentato. In fin dei conti io un morto, così da vicino, non lo avevo visto mai. La povera zia Olimpia era morta sì, ma a me non l'avevano fatta vedere. Improvvisamente mi ricordai di un film giallo dove, per capire se la vittima era morta o meno, il detective le avvicinava uno specchio alla bocca. Ora, uno specchio c'era: stava proprio lì davanti, sulla toilette della signora Masturzo... io avrei potuto anche accostarlo alla bocca del cavaliere, così come avevo visto fare al detective... e se poi si fosse svegliato proprio in quel momento... che cosa gli avrei detto?

Decisi di non pensarci e, per evitare di guardare il cavaliere, cominciai a fissare la parete dietro la spalliera del letto. Era rivestita da una carta da parati con rami, foglie e fiori marrone su un fondo color giallo crema. Dopo un po' che la stavo guardando, immaginai di essere il capitano di un veliero e di dover navigare in un arcipelago tutto fatto di foglie e fiori marrone. Il fondo color crema era il mare. Per andare da un punto all'altro della parete m'inventai percorsi sempre più complicati: i rami in particolare mi costringevano a lunghe circumnavigazioni.

Non so quanto tempo rimasi a navigare sulla parete della camera da letto, so solo che tornarono tutti insieme: Masturzo, la mamma e il medico. Finalmente potei uscire da quella stanza e rifugiarmi in camera da pranzo, dove mi misi a studiare la prima guerra d'indipendenza, come se niente fosse successo.

«25 luglio 1848. Sconfitta piemontese a Custoza e ritirata su Milano. Carlo Alberto si allontana dalla città tra le dimostrazioni ostili della popolazione...»

Ma ecco che con la coda dell'occhio vidi una bottiglina di profumo sulla soglia della porta della camera da pranzo. Doveva essere rotolata fin laggiù quando avevamo accompagnato il cavaliere nella stanza da letto. L'andai a raccogliere e rimasi affascinato dall'etichetta: mostrava una spiaggia sotto la luna e una scritta luminosa «Nuit d'Amour - Paris».

Proprio in quel momento sentii la voce del medico che diceva: «Cavaliè, dipende solo da voi: se non vi strapazzate su e giù per l'Italia, potete campare ancora cento anni».

«Me ne bastano sei,» rispose il cavaliere «il tempo necessario perché mio figlio prenda il mio posto.» Da quella sera io e Masturzo diventammo i suoi assistenti di fiducia. La ditta produceva la serie Nuit d'Amour (lo slogan era «Una goccia di Nuit d'Amour e vi sentirete a Parigi»). Fabbricavamo anche una linea più economica intitolata «Sospiri d'Oriente», ma un bel giorno il cavaliere decise di sospenderne la produzione.

«Parigi è sempre Parigi,» sentenziò «dell'Oriente non se ne fotte niente nessuno!»

Il cavaliere acquistava le essenze a litri e, dopo averle generosamente diluite, le versava nelle bottigline usando quell'imbuto di vetro che tanto mi piaceva. Ricordo ancora i nomi delle essenze: mentolo, bergamotto, cedro, zibetto, ambra grigia... e dei profumi più richiesti: *bois de rose*, *petit grain* e tabacco d'Harar. Tutti nomi esotici che mi portavano con la fantasia in paesi lontani, pieni di donne languide e disponibili.

A noi ragazzi il compito di lavare, etichettare le bottigline e preparare la valigia ogni martedì pomeriggio. La valigia era stata progettata dal papà di Masturzo in persona e consentiva l'esposizione contemporanea di tutto il campionario. Bastava aprirla (come se fosse un libro, diceva il cavaliere) e diventava subito una vetrina. Era divisa in tanti piccoli scomparti, foderati tutti in velluto rosso, e con al centro *'o buttiglione*, una confezione formato gigante rimasta invenduta da sempre a causa del prezzo.

«La verità è che non ho mai trovato l'amatore» teneva a precisare il cavaliere. «A Parigi una cosa così l'avrei venduta in un battibaleno, ma qui in Italia... con quei quattro fetenti che viaggiano sulla Napoli-Reggio Calabria... a chi volete che la possa vendere!»

Ogni martedì il bravuomo partiva per Reggio Calabria: la sua «filiale» come amava chiamarla. Ovviamente viaggiava in terza classe, con blitz improvvisi, per qualche tentata vendita, nelle classi superiori. Oramai era diventato amico di tutti i controllori e, anche grazie a qualche profumino dato in omaggio a Natale, nessuno più gli contestava lo sconfinamento di classe. Per andare alla stazione prendeva il tram numero 1 a piazza San Ferdinando e, da quando aveva avuto l'infarto, veniva regolarmente accompagnato da me e dal figlio per via della valigia. Masturzo aveva solo quattordici anni ma era forte come un ragazzo di venti.

Durante questi brevi accompagnamenti il cavaliere ci raccontava di quando era stato a Parigi. Come prova inconfutabile aveva con sé, nel portafoglio, una foto che lo ritraeva in bicicletta con la torre Eiffel alle spalle. Era stato capocommesso da Guerlain e aveva abitato a Montparnasse, a due passi dalla celebre *Coupole*. Disse pure che se fosse rimasto in Francia avrebbe potuto avere la più bella profumeria di Parigi: tre porte in *faubourg Saint-Honoré*. Pare che la proprietaria, la vedova Clermont, si fosse pazzamente innamorata di lui e che avrebbe fatto qualsiasi cosa pur di sposarlo.

«Ma come potevo accettare?» si giustificava rivolgendosi al figlio. «A quell'epoca ero già fidanzato con tua madre. Ci scrivevamo tutte le settimane. E chi l'avrebbe sentita, quella lì, se non tornavo più a Napoli! Così dovetti dare un addio alla vedova, a Parigi e alla profumeria in *faubourg Saint-Honoré*.»

«Sei mai stato alle Folies Bergère?»

«Praticamente tutte le sere: avevo fatto amicizia con una guardarobiera di Marsiglia, una biondina che si chiamava Monique. Io le fornivo i profumi e lei li vendeva ai clienti: poi facevamo a metà.»

«E perché te ne sei andato da Parigi?»

«Perché avevo nostalgia di Napoli.»
Ma non era sincero: una volta lo sentimmo canticchiare:
«*Paris... c'est une blonde...*».

La parte di lavoro che più mi piaceva era la ricerca delle bottigline usate. La domenica mattina io e Masturzo accompagnavamo il cavaliere in via Foria, più o meno all'altezza del Distretto militare, e lì, in mezzo a centinaia di bancarelle di *saponari*, davamo inizio alla grande caccia.

«La bottiglina» si raccomandava il cavaliere «deve essere anonima: se ha una forma troppo nota, fate conto per esempio come quella dello Chanel, poi è difficile farla passare per Nuit d'Amour, e attenzione a non prendere le "mignon" che si capisce che sono quelle dei liquori.»

Giravamo in lungo e in largo tra il vociare e i mille colori del più smandrappato *Marché aux Puces* del mondo. Scovare bottigline tra rottami e ferramenta era un gioco: a volte ce le davano anche gratis.

«Me la regalate questa bottiglina, signore?» chiedevo ai *saponari*, e molto spesso riuscivo ad averle senza pagare nemmeno un centesimo.

Da quella esperienza mi resi conto che, volendo, avrei potuto essere un ottimo accattone.

Un pomeriggio il cavaliere tornò a casa allegrissimo: aveva venduto 'o buttiglione.

«Ma chi se lo è comprato?»
«Una signora di Ferrara.»
«E come è stato?»
«Quando si dice la fatalità: io martedì scorso ho perso il treno delle venti e venti, il prossimo partiva alle ventitré e quaranta. "Che faccio," mi sono detto "torno un'altra volta a casa con tutta la valigia? E che ci torno a fare?" E così ho deciso di farmi un'oretta di sonno in sala d'attesa; ma invece di andare in terza, dove i sedili sono tosti come le

pietre, sono andato in prima dove ci sono i divani di pelle, tanto lo sapete come sono le sale d'attesa: non ci sta mai nessuno a controllare.»

«E la signora di Ferrara?»

«Stava già là, sola soletta, con una volpe intorno al collo e un cappellino verde bottiglia. "Ha un cerino?" mi dice lei a me, e io ce l'ho dato. Insomma non teneva cerini, quando si dice la fatalità: se avesse avuto i cerini, io adesso non avrei venduto *'o buttiglione*. E così, sapete com'è, ci siamo messi a parlare, anche per far passare il tempo. Io prima le ho raccontato che mestiere facevo e poi le ho chiesto: "E lei cosa fa?". "Sono una donna d'affari" mi ha risposto, e si è messa a ridere. Intanto io avevo già aperto la valigia. "E questo che cos'è?" ha detto lei indicando *'o buttiglione*. "È Nuit d'Amour, formato gigante" ho detto io. "Vuol dire formato caserma!" ha detto lei e giù un'altra risata. Insomma una parola tira l'altra e le ho venduto *'o buttiglione* per venticinque lire, cinque lire meno del prezzo di listino.»

Quella sera il cavaliere ci portò tutti in pizzeria. Anche io fui invitato e dovetti telefonare a casa per avere il permesso.

«Quattro margherite da mezza lira» ordinò il cavaliere «e mi raccomando: basse di pasta e con molta mozzarella sopra. Vino rosso a consumo.»

Era maggio. Sembrava che già fosse estate. Il cavaliere si bevve da solo tutta la bottiglia di vino. A un certo punto lo sentii dire, come se parlasse tra sé e sé: «Sì, però un pochino mi dispiace...».

Il cavaliere morì di giovedì, nel mese di luglio, a Reggio Calabria. Io e Masturzo, quando arrivò la telefonata, stavamo a casa mia a giocare a Monopoli. I funerali furono fatti a Napoli, due giorni dopo, con il carro del Municipio.

Dalla Calabria, insieme alla salma, arrivò anche una signora di mezz'età e un bambino di circa otto anni che aveva lo stesso sguardo malinconico del cavaliere: erano la sua «filiale». Durante i funerali, la signora e il bambino si tennero sempre in disparte, quasi non volessero farsi vedere.

Le due donne, la madre di Masturzo e quella di Reggio Calabria, si dovevano già conoscere da tempo, anche se, con ogni probabilità, non si erano mai incontrate di persona. Fossero state ricche, forse avrebbero litigato; essendo povere, non se lo potevano permettere. Si chiusero in camera da letto e parlarono per ore e ore. Il bambino rimase con me e Masturzo. Stava lì, immobile, con lo sguardo fisso a terra: non parlava e non voleva mangiare. Solo quando vide le ciliegie alzò per un attimo lo sguardo, poi stese una manina bianca, sottile, e piano piano se le mangiò tutte, una alla volta.

VI
Il vicino di casa

Al secondo piano del mio palazzo c'era la Pensione Santoro, o, per meglio dire, quello che era rimasto della Pensione Santoro: in pratica un unico cliente e per giunta anche un po' anziano, tale Michele Cupiello.

Raccontava mia madre che prima della Grande guerra i Santoro avevano avuto molte proprietà, fra cui l'Hotel Esperia alla Ferrovia, ma che dopo la morte del fondatore, il compianto cavalier Ernesto, il figlio primogenito Arturo si era giocato tutte le proprietà, compreso l'albergo e il ristorante, su una sola carta, a baccarat, al Circolo Italia.

«Arturo fece nove, il banco fece dieci e lui, senza dire né "ah" né "bah", si alzò e si andò a buttare giù dalla finestra.»

Il racconto di mia madre, in verità, non è che stesse molto in piedi: a parte il fatto che nel baccarat non esiste il dieci, come faceva Santoro a suicidarsi se le finestre del Circolo davano direttamente sul mare ed erano a non più di tre metri di altezza?

«Non lo so,» rispondeva lei «io so solo che si buttò abbasso e che lo trovarono tutto sfracellato e con le carte in mano.»

«Su una barca?»

«Su una barca... sugli scogli... adesso tutti questi particolari non li posso sapere; so però che quelli che hanno il vizio del gioco fanno sempre una brutta fine.»

Comunque sia morto il povero Arturo, sfracellato o annegato, la vedova, una volta perso l'albergo, si trasferì a Santa Lucia e aprì una piccola pensione a conduzione familiare. Gli affari però non andarono come lei aveva sperato e la poverina fu costretta di nuovo a ridimensionarsi. Alla fine si ridusse a subaffittare una sola stanza ammobiliata, quella appunto di Michele Cupiello.

Zio Luigi aveva conosciuto mister Cupiello a Chicago.

«Cupiello» ci confidò «in America non si chiamava Cupiello, ma Scalese e per la precisione: Mike Scalese. Si cambiò il cognome per motivi di sicurezza non appena mise piedi a Napoli. E non basta: lo sapete come lo chiamavano a Chicago?»

Pausa interrogativa, quel tanto che bastava per acuire la nostra curiosità.

«Lo chiamavano "la mano sinistra di Al Capone".»

«Ma allora era un gangster?»

«Sì, ed era senza pietà» confermò zio Luigi. «Voi adesso lo vedete che sembra tanto una brava persona? Magari ve lo portereste pure a casa a mangiare? Ebbene, sappiate che quando lavorava non sprecava mai più di una pallottola: ogni colpo, un cavaliere per terra! Al Capone gli diceva: "Questo è tuo" e gli passava una fotografia, e il giorno dopo quella persona era stesa all'obitorio con un buco in fronte. Io, una sera, in un night di Chicago, incontrai un amico, un certo De Simone, che mi raccontò tutta la sua vita.»

Noi per questo adoravamo zio Luigi: era capace di raccontarci ogni sera una storia nuova, ed erano sempre storie avventurose e piene di donne bellissime.

«A quell'epoca ero fidanzato con Rosita Consalvo, una sangue misto di madre americana e padre portoricano che aveva un corpo che sembrava una pantera. Rosita cantava appesa a una liana una canzone che faceva così: *Come my love, come on the tree with me*"...»

Si alzò in piedi e, dopo aver accennato a un passo di danza, si mise a cantare. Noi lo stavamo a guardare estasiati.

«Una sera, mentre aspettavo che finisse il numero, mi si parò davanti un giovanotto vestito da gangster: era De Simone, un mio vecchio compagno di scuola.»

«Un altro gangster!»

«No, De Simone non era un gangster, ma ne aveva l'aspetto, e questo perché suo zio, Charlie Fischetti detto anche "Charlie tre dita", gli aveva regalato un gessato grigio a righine bianche.»

«Ma perché a Cupiello lo chiamavano "la mano sinistra di Al Capone"?»

«Perché aveva perso la mano sinistra per salvare la vita di Al Capone» rispose zio Luigi.

«Allora è per questo che tiene sempre un guanto di pelle nera?»

«Sì, e nel guanto non c'è la mano sua, ma una mano di ebano che Al Capone gli fece fare dal migliore falegname di Chicago.» Poi, abbassando la voce, come se ci fosse qualcuno dietro la porta che lo potesse sentire, aggiunse: «Nella sua stanza, in una cassetta di legno chiusa a catenaccio, tiene ancora il mitra a tamburo con cui sterminò la banda di O' Banion».

Il mitra a tamburo! Da quel momento non pensammo ad altro che al mitra a tamburo di Mike Scalese: poterlo vedere, toccare, annusare, anche per un solo istante, divenne il nostro massimo desiderio. Edward G. Robinson, James Cagney, gli angeli con la faccia sporca, insieme a Sandokan, al Corsaro Nero e a Tom Mix erano gli eroi che popolavano i nostri sogni di gloria. Ma i gangster, Dio solo sa perché, ci stavano più simpatici di tutti: era normale quindi che non vedessimo l'ora di conoscerne uno di persona. Pur di avvicinarlo, facemmo amicizia con Giannino, un ragazzino di nove anni, figlio del suicida Arturo ed erede universale della Pensione Santoro. Giannino fu molto lusingato del fatto che dei ragazzi più grandi di lui lo trattassero da pari a pari.

Mike Cupiello, alias Scalese, era un uomo sulla sessantina, tarchiato, con i capelli grigi, che passava la maggior parte del suo tempo ad ascoltare musica lirica. Ogni sera si andava a sedere in un angolino del soggiorno accanto a un gigantesco grammofono Voce del Padrone e restava immobile, per ore e ore, a sentire pezzi d'opera: amava i brani melodici e in particolare «Amami Alfredo».

A proposito della Voce del Padrone, zio Luigi un giorno mi raccontò la vera storia del cagnolino che appariva sul marchio di fabbrica. Disse che il cane si chiamava Nipper e che apparteneva a un certo Barraud, un signore molto vecchio che viveva a Londra in una soffitta. Una notte questo Barraud, sentendosi prossimo a morire, incise un disco con la sua voce e lasciò al fratello in eredità sia Nipper che il grammofono, in modo che di tanto in tanto il cane lo potesse sentire. Il fratello, infine, essendo un bravo pittore, ritrasse il cane mentre ascoltava la voce del padrone e vendette il dipinto alla Grammophone Co. Ltd.

Come tutti i gangster Mike parlava pochissimo, e solo se non ne poteva fare proprio a meno. Si guadagnava qualcosa facendo il finto cliente alle aste d'antiquariato.

«Mister Cupiello,» gli chiedemmo una sera «Giannino ci ha detto che state costruendo un incrociatore con i fiammiferi, è vero?»

Come sempre non rispose, però, essendosi alzato in piedi e avendoci guardato con aria benevola, capimmo che potevamo seguirlo in camera sua.

La cassa, munita di catenaccio, proprio come aveva detto zio Luigi, era lì, accanto al letto, e Cupiello se ne serviva come di un comodino. Era un piccolo baule di legno chiaro, lungo circa un metro, tipo ufficiale di Marina, con le iniziali del nome di una nave, R.N.E.F., scritte in caratteri gotici. Chiaramente doveva nascondere qualcosa di terribile, altrimenti non si spiegava la presenza del catenaccio. Tutti gli avremmo voluto chiedere di farci vedere il mitra, ma nessuno ebbe il coraggio di farlo. Solo Filuccio, prima di andar via, fece un tentativo.

«E lì dentro che c'è?» chiese, indicando la cassa.

Lui rispose secco: «L'America».

Il mitra fece passare in secondo piano anche l'incrociatore che invece era bellissimo. Era stato costruito tutto, da cima a fondo, con fiammiferi di legno.

«Abbiamo usato più di trentamila fiammiferi» disse Giannino, come se ci avesse lavorato anche lui.

L'incrociatore aveva due fumaioli, otto scialuppe di salvataggio, quattro cannoni ruotanti a 180 gradi, la bandiera italiana sul pennone più alto e il nome scritto a poppa, tutto a lettere d'oro: R. N. EMANUELE FILIBERTO. In pratica un capolavoro, tanto più che era stato costruito da un uomo con una mano sola.

Un giorno lo vidi al banco mentre apportava alcune modifiche al ponte di comando. Usava la mano di legno come se fosse un morsetto: incastrava i fiammiferi tra le dita del guanto e con la mano buona tagliuzzava, incollava e dipingeva. Era così rapido nei movimenti che a vederlo lavorare ci si scordava della sua menomazione.

«È una tecnica che s'impara in carcere» disse zio Luigi. «Un giorno tra tutti i penitenziari d'America fu indetta una gara per il miglior modello di nave: vinse Jeremy Stockenhouse di Sing Sing. Fece un galeone spagnolo del sedicesimo secolo e a prua, come polena, mise il busto della moglie che aveva strangolato.»

Tra le tante cose che Cupiello sapeva fare, c'era anche

quella di suonare il piano, e lo suonava benissimo. Ora io non so come riuscisse a farlo con una mano sola, certo è che piazzava tutti gli accordi. Nella stanza aveva un pianoforte verticale, laccato nero, con i rifinimenti in oro, che era un vero e proprio oggetto d'antiquariato. Di sicuro risaliva ai tempi in cui non c'era l'elettricità: aveva, infatti, ancora i candelabri d'argento attaccati al frontale. A sentirlo suonare da lontano, dal cortile del palazzo ad esempio, nessuno avrebbe detto che non era un pianista normale.

«E per forza,» commentò zio Luigi «quello, in America, questo faceva: il pianista. Solo in un secondo momento divenne un gangster. Suonava dovunque gli riuscisse di arraffare qualche dollaro: frequentava i night, le feste *brucculine* e i matrimoni. Poi conobbe Al Capone e la sua vita cambiò da così a così. Al lo fece assumere al Colosimo's, un night sotto il suo controllo, e ogni domenica mattina, all'ora di pranzo, se lo portava a casa insieme ai babà e alle sfogliatelle. A mamma Teresa piaceva molto una canzone di Pasquariello: *Io m'arricordo 'e te.* Mike gliela canticchiava in falsetto e Al Capone ogni volta si metteva a piangere. E già, perché lui, lo sfregiato, così era fatto: spietato con i nemici e tenero in famiglia.»

«E poi com'è che divenne un gangster?»

«Perché s'innamorò di Rosy la Bionda: una ragazza del New Jersey, non molto alta in verità, ma con i capelli biondo platino e il seno più bello di tutta la South Wabash Avenue!» E qui zio Luigi dava uno sguardo al cielo come se volesse chiamarlo a testimone. «Le tette di Rosy erano così belle che i camerieri del Colosimo's le avevano soprannominate Vesuvio e Monte Somma. La ragazza entrò nella vita di Mike vendendo sigari e sigarette. Indossava un corpetto nero, molto attillato, che le lasciava scoperto quasi tutto il seno. Aveva le calze a rete e la giarrettiera con la rosa rossa. Quando si fidanzò con Mike, proprio per evitare che continuasse ad andare in giro fra i tavoli mezzo

nuda, Al Capone la fece promuovere caposala. Adesso
però, se state buoni e non mi interrompete più, vi racconto
tutta la storia.»
Al che noi trattenevamo anche il respiro, per paura che
lui cambiasse idea. I ragazzi di oggi hanno la televisione,
noi avevamo zio Luigi.

«Mike e Rosy decisero di sposarsi a Natale. Al Capone in
persona avrebbe fatto da compare d'anello. Avevano già
spedito le pubblicazioni quando una notte gli irlandesi di O'
Banion irruppero nel Colosimo's e cominciarono a sparare
raffiche di mitra per far fuori Al Capone. Mike, senza pensarci un momento, si buttò davanti al suo capo e una pallottola gli sfracellò la mano sinistra. Rosy, invece, che era in
piedi, proprio accanto ad Al Capone, morì sul colpo, fulmi-
nata da sette proiettili. Il tutto era durato meno di un
minuto. Al collo di Rosy fu trovata una collanina d'argento
con un medaglione raffigurante il Cuore di Gesù trafitto da
Sette Spade.»

Malgrado l'epilogo tragico, non potemmo fare a meno di
pensare al seno di Rosy, ancora palpitante, con il medaglione del Cuore di Gesù giusto nell'incavo tra le tette.

«Scalese,» continuò zio Luigi «quando la polizia andò a
interrogarlo in ospedale, mostrò il cartoncino che annunziava le sue prossime nozze con Rosy e, non avendo la
poverina nessun parente a Chicago, si fece consegnare
come ricordo il medaglione delle Sette Spade. "E sette ne
debbo uccidere!" mormorò Mike, mentre l'ispettore di
polizia usciva dalla stanza. Non appena lo dimisero, infatti,
fece fuori, uno dietro l'altro, sette irlandesi di O' Banion.
Divenne insomma il killer più feroce di tutta Chicago.»

Un giorno a Santa Lucia arrivò un italo-americano e
chiese di mister Cupiello. Giannino lo accompagnò nella
stanza di Mike e un minuto dopo ci venne a chiamare.

Corremmo tutti a vedere il nuovo arrivato. Lo sconosciuto disse di essere un sassofonista e di aver suonato con Mike, in America, in un'orchestrina chiamata i Beach-Boys, ma nessuno gli credette. Grazie a zio Luigi, eravamo troppo esperti di malavita americana per non accorgerci che si trattava di un altro gangster in carne e ossa. Oltretutto, aveva il gessato grigio degli uomini di Al Capone. Praticamente era come se si fosse presentato in divisa.

«Io so chi è» esordì Filuccio, dandosi delle arie.

«Chi è?»

«È uno della Mano Nera.»

«E come fai a dirlo?»

«Ha un bottoncino nero all'occhiello del bavero» rispose Filuccio.

«Cretino, quello è il lutto! E poi figurati se quelli della Mano Nera se ne vanno in giro con il distintivo!»

Ci mettemmo a giocare ai soldatini nel corridoio della pensione, in modo da poterci avvicinare sempre di più alla stanza dove stavano parlando. Qualcuno di noi però dovette urtare la porta perché da un certo momento in poi non capimmo più nulla: usavano uno strano linguaggio fatto di parole astruse che finivano tutte in *esia*, un'incredibile lingua che non era né inglese, né italiano e nemmeno napoletano.

«È il codice della Mano Nera!» continuò a dire Filuccio.

«E chi te l'ha detto?»

«*Zì Rafele*,» rispose lui «anch'io ho uno zio che è stato in America e lui non racconta solo i fatti di Chicago, ma conosce pure quelli della costa occidentale.»

Era una balla, naturalmente: tutti i ragazzi di Santa Lucia m'invidiavano zio Luigi e di tanto in tanto qualcuno s'inventava un parente solo per farmi concorrenza, ma, grazie a Dio, zio Luigi era unico e irripetibile.

«Allora se non è il codice della Mano Nera,» replicò Filuccio polemico «ditemi voi che diavolo di lingua è?»

Era la *parlesia*: un linguaggio convenzionale ancora in uso fra tutti gli orchestrali dell'Italia meridionale.

«*Appunisce 'a chiarenza?*» chiese Mike al suo amico, mostrandogli una bottiglia di whisky.

«*No, tengo 'a fegatesia addovà*» rispose quello toccandosi il fegato, e poi a sua volta chiese: «*E tu che stai appunendo?*».

«*Uhm*» muggì Mike, storcendo la bocca.

«*Appunisce quacche jamma?*»

«*Nu spunì bacarie: si nunn'appunisco a me, comme vuò ca m'appunisco 'na jamma!*»

«*Appunisce armeno n'a machinesia?*»

«*L'aggia avuta spunì.*»

«*E comme abbusche 'a campesia?*»

«*Cunosco a 'nu jammone c'appunisce 'na gallaresia e fa l'astesia tutte 'e sere e po quacche vota appunisco a pusteggia.*»

«*Aggia appunito,*» concluse l'amico «*fai accauto e allauto, a comme vene vene.*»[1]

Gli orchestrali e i magliari italiani, quando arrivano in un paese straniero, come prima cosa sentono il bisogno di entrare in contatto con qualche collega. Allora girano per i bar, le taverne e le sale da biliardo, e non appena scorgono

---

[1] «Vuoi un whisky?»
«No, ho il fegato a pezzi. E tu come stai?»
«Uhm.»
«Hai qualche donna?»
«Non dire sciocchezze: se non riesco a mantenere me, come vuoi che mantenga una donna!»
«Hai almeno una macchina?»
«Me la sono dovuta vendere.»
«E come ti guadagni la giornata?»
«Conosco un signore che ha una galleria e fa un'asta tutte le sere, e poi qualche volta vado a cantare nelle trattorie.»
«Ho capito: fai tutto quello che ti capita, come viene viene.»

qualcuno un po' più scuro di capelli, o con gli occhi neri, lo avvicinano e gli chiedono sottovoce «*Appunisce 'a parlesia?*» ovvero «*Parli la lingua?*». Più che una domanda, in effetti, è una parola d'ordine. Significa: «Sei dei nostri o no?».[2]

Per andare più a fondo nei traffici di Mike, cominciammo a pedinarlo. Generalmente si recava ai giardinetti del Molosiglio, si sedeva su una panchina e restava lì una mezz'oretta a guardare le balie, i soldati e i bambini che giocavano a palla. Una volta gli si avvicinò un uomo anziano e gli consegnò un pacco di colore azzurro scuro. Mike lo prese e se ne andò via. Avrebbero potuto essere semplici biscotti di Castellammare, o spaghetti di Voiello, ma allora, ci chiedemmo, perché consegnarli in un modo così misterioso? E poi perché non pagarli seduta stante, davanti a tutti?

Un altro posto che Mike frequentava era il porto; pare che da giovane avesse fatto il marinaio.

---

[2] La *parlesia* è costruita in gran parte da vocaboli napoletani e ha come base sintattica due verbi: *appunire* e *spunire*. Il primo ha una valenza positiva e può assumere diversi significati a seconda del complemento oggetto che gli viene dato. Trovare un termine equivalente in italiano, o in un'altra lingua, è praticamente impossibile. In un certo senso ricordano il «bbuono» e il «no bbuono» di Andy Luotto all'«Altra Domenica». *Appunire*, infatti, può significare: gradire qualcosa, ma anche guardare un bel film, accettare un caffè, amare una persona o partecipare a un evento positivo. *Appunisce 'a machinesia?* può voler dire «Ti piace questa macchina?» ma anche «Vuoi comprare questa macchina?» o più semplicemente «Possiedi una macchina?». *Appunisce 'na jamma?* però è già qualcosa di più personale: rafforzato dalla parola *jamma*, equivale a chiedere a un amico se fa l'amore con una (bella) donna. E *'O jammo accauto appunisce 'a chiarenza* può tradursi così: «A quest'uomo piace troppo il whisky».

Spunire invece ha significati solo negativi. *Nu spunì bacarie* corrisponde a «Non dire sciocchezze» e *l'aggia avuta spunì* sta per «l'ho dovuta vendere».

Jammo e *jamma* vogliono dire uomo e donna, e hanno come varianti gerarchiche *'o jammone*, *'a jammona*, *'o jammetiello* e *'a jammetella*. Esempio: *'o jammone appunisce 'e tellose d''a jammetella*. Traduzione: «Al capo piace il seno della ragazza». Altre parole per sopravvivere sono: *addovà* che significa «attenzione», ma con riferimenti decisamente negativi, *'a pusteggia*, ovvero il cantare nelle osterie in cerca di soldi, e *accauto e allauto*, che vogliono dire «questo e quello». Per tutte le altre voci basta aggiungere la desinenza *esia*: motivo per cui *alberesia*, *tavolesia* e *muntagnesia* stanno rispettivamente per alberi, tavole e montagne.

«È stato mozzo su un mercantile che trasportava marmi pregiati da Genova a Barcellona» precisò zio Luigi. «La nave si chiamava *Il Nettuno*. Poteva fare seimila, massimo settemila tonnellate di stazza. Un brutto giorno però, durante la guerra '15-18, *Il Nettuno* venne affondato da un sottomarino tedesco e Mike restò quattro giorni e quattro notti con altri naufraghi su una scialuppa di salvataggio, senza niente da bere né da mangiare. Poi arrivò l'incrociatore *Emanuele Filiberto*, proprio quello che lui ha rifatto con i fiammiferi, e li salvò tutti quanti.»

Durante un ennesimo inseguimento lo beccammo che entrava alla Posta centrale. Nuzzo Neri, fingendo di dover fare un vaglia, gli si mise dietro, in fila, come una sanguisuga, e quando arrivarono allo sportello, vide Mike ritirare una busta proveniente dagli Stati Uniti. La riconobbe subito per via dei francobolli. Anzi, con la massima faccia tosta, glieli chiese pure in regalo, e, mentre Mike li staccava dalla busta, ebbe tutto il tempo per leggere il nome del destinatario. C'era scritto «A Mister Mike Cupiello, Grand Hotel Santoro, via Marino Turchi 31, Naples, Italy».

«Peccato che non sono riuscito a leggere il mittente» si rammaricò Nuzzo.

«E che lo leggevi a fare?» lo confortò zio Luigi. «Te lo dico io chi è il mittente: è Al Capone in persona! Ogni mese gli manda un assegno di cinquanta dollari.»

Il mito di Mike subì un duro ridimensionamento quando arrivò il fratello dalla campagna. Si chiamava Carmine e faceva l'allevatore di bufali a Mondragone. Arrivò una vigilia di Natale, all'improvviso, mentre stavamo giocando a tombola nella sala da pranzo della pensione. Spostò il cartellone e poggiò sul tavolo una pentola con cinque mozzarelle annegate nel latte che la signora Santoro fece sparire senza nemmeno farcene assaggiare un pezzetto.

Se Mike era taciturno, il fratello era il suo esatto contrario: non la finiva più di chiacchierare. Un giorno si fece

accompagnare da me e da Nuzzo a via Chiaia per comprare
una pipa di radica e durante la passeggiata ci raccontò tutta
la vita di Mike, per filo e per segno, da quando era nato
fino ai giorni nostri. Restammo sconvolti: o zio Luigi o il
signor Carmine ci avevano detto un sacco di bugie.

«Povero Mike!» lo commiserò il fratello. «Perse il braccio, a trent'anni, sui *docks* di New York: durante un'operazione di scarico, gli caddero addosso un fascio di tondini di
ferro che non erano stati bene imbracati. L'armatore gli
dette cento dollari e lo licenziò. Forse il braccio l'avrebbe
pure potuto salvare, ma per paura della cancrena, glielo
amputarono due centimetri sotto al gomito quando ancora
non aveva ripreso conoscenza: si svegliò e si accorse di non
avere un braccio! A quell'epoca così si usava: gli emigranti
erano trattati come se fossero bestie o poco più!»

«E Rosy?» chiesi io malignamente. «Rosy la Bionda?»

«Rosy la Bionda?» ripeté lui, stupito che io potessi conoscere un particolare così intimo della vita del fratello.
«Vuoi dire Rosa Javarone? Quella che Mike si doveva sposare?»

«Sì, Rosa la Bionda» insistei io, guardandolo fisso negli
occhi, se non altro per metterlo in imbarazzo.

«Ma non era bionda, era castana.»

«E perché non si sposarono?»

«E quella fu un'altra disgrazia!» sospirò il signor Carmine, sinceramente dispiaciuto. «Si conoscevano fin da
quando erano bambini, a diciotto anni si sarebbero dovuti
sposare ma nessuno dei due aveva una lira. Allora Mike
disse: "Io me ne vado in America e appena faccio i soldi ti
chiamo". E così fu: un giorno le scrisse una lettera dicendo
"Vieni a New York che sono pronto, ma il vestito da sposa
è meglio che te lo fai fare al paese perché qua costa assai",
e Rosa partì: si imbarcò sulla *Cesare Battisti*. Io stesso l'ac-
compagnai al porto. E chi se la dimentica più quella giornata: il piazzale del Molo Beverello era pieno di gente di

ogni paese, e c'erano centinaia di emigranti che dovevano partire per l'America e c'erano tutti i parenti che erano venuti a salutarli per l'ultima volta. E chi era venuto con l'orchestrina, e chi con la chitarra, e chi cantava, e chi s'abbracciava. E stavano tutti quanti *'nu poco 'mbriachi* perché prima della partenza s'erano andati a fare *'na bella magnata*. Poi improvvisamente, proprio mentre stavano ridendo, la nave fece *tu tuuuu*... e allora tutti si misero a piangere: i marinai cominciarono a gridare: "A bordo che si parte! A bordo!". Le mamme riempivano l'aria di strilli: all'ultimo momento non volevano più far andare i figli in America e s'appendevano ai loro vestiti per non farli partire, le mogli si disperavano, i bambini piangevano. E loro, *poveri guagliune*, salivano a bordo che avevano tutti gli occhi pieni di lacrime. Molti si erano portati appresso un gomitolo di lana colorata per buttarlo da sopra la murata nel momento della partenza, in modo che un capo restava in mano a loro e un altro a chi stava sul molo. La nave si mosse lentamente, moscia moscia, come se non volesse partire, i gomitoli cominciarono a srotolarsi a poco a poco e per qualche secondo avemmo l'impressione che la nave non ce la facesse a spezzarli. Ma poi ci fu il distacco e i fili di lana rimasero ancora un po' per aria, come una scia colorata, fino a quando non li vedemmo più.»

«E Rosa?»

«Rosa, non appena arrivò a New York, si mise a letto con la polmonite. Due settimane di malattia, la febbre a quaranta, un dottore di Brooklyn che scambiò la polmonite per influenza, e *'a puverella* morì tra le braccia di Mike, lontana dalla famiglia e dal suo paese.»

E Al Capone? E il mitra a tamburo? E i sette irlandesi di O' Banion? E il Cuore di Gesù dalle Sette Spade? No, il signor Carmine con tutte le sue chiacchiere non ci aveva convinto nemmeno per un attimo! Lui, secondo noi, aveva un solo obiettivo: nascondere a tutti che il fratello era stato uno dei più spietati gangster di Chicago. Zio Luigi, infatti, la sera stessa ce ne dette una conferma.

«Mike Scalese è stato costretto a ritornare in Italia per sfuggire alla vendetta dei fratelli Genna. Voi lo sapete chi erano i fratelli Genna?»

«No, chi erano?»

«Erano cinque fratelli noti in tutta Chicago come "i terribili Genna". Si chiamavano Sam, Angelo, Peter, Tony e Jim. Un giorno Angelo, soprannominato anche il "maledetto", si mise in testa di far fuori Al Capone. Lo invitò a pranzo in una trattoria e, arrivati al dolce, fece entrare un killer con una pistola. Aveva fatto i conti però senza Mike Scalese. Fin dall'inizio, infatti, Scalese aveva fiutato il tranello: Angelo Genna era stato troppo gentile. E allora che fece: finse di essere ubriaco e si mise a dormire in un angolo della sala, su una poltrona: intanto, con la coda dell'occhio, controllava la porta d'ingresso. Come vide il killer entrare e tirare fuori la pistola, non gli dette nemmeno il tempo di premere il grilletto che lo fulminò sull'istante. Da allora, per sottrarsi alla vendetta dei Genna, è stato costretto a nascondersi. Prima a Vera Cruz, poi a Marsiglia e infine a Napoli. Per maggiore precauzione si cambiò pure il cognome. La vedova Santoro, comunque, fin dal primo giorno, gli assicurò che non lo avrebbe mai dichiarato alla polizia. Oggi, solo io e Al Capone sappiamo chi è veramente e dove abita. Capone, di tanto in tanto, tramite un suo uomo di fiducia, gli manda un messaggio. In genere s'incontrano ai giardinetti del Molosiglio.»

Tutti quanti sposammo, senza esitare, la versione di zio Luigi, anche perché Mike Cupiello lo avevamo visto noi, con i nostri occhi, mentre ritirava il pacco di Al Capone al Molosiglio. Di sicuro era un gangster e il fratello ci aveva raccontato un romanzetto rosa solo per nasconderci la verità. Un giorno, approfittando del fatto che era andato a Mondragone, entrammo in camera sua e con un chiodo ricurvo aprimmo il catenaccetto della cassa di legno. Il mitra non c'era, trovammo però un abito da sposa, con il tulle tutto strappato, un medaglione del Cuore di Gesù trafitto dalle Sette Spade e la fotografia di una ragazza con i capelli biondi.

«A me sembrano castani» disse Filuccio.

«E a me sembrano biondi» replicai io e richiusi la cassa.

VII
Il ventre della vacca

Sarà stata la giovane età, l'incoscienza, l'ottimismo, il carattere allegro, non so, ma come ho riso durante il periodo della guerra non ho mai riso in tutta la vita. Eppure Dio solo sa quante volte sarò stato sfiorato dalla tragedia: il pulsante di un bombardiere premuto un attimo prima o un attimo dopo, un rastrellamento delle SS fatto in una direzione piuttosto che in un'altra, un paesino della Ciociaria occupato dagli americani e non dai marocchini. Il fatto è che in quegli anni ogni nuova esperienza mi sembrava eccitante: il rifugio antiaereo, i campi Dux, le *piccole italiane* e perfino le canzoni di guerra, da *Partono i sommergibili* a *Camerata Richard benvenuto*.

Per me la guerra cominciò ufficialmente il 5 maggio del '38, il giorno in cui Hitler venne a Napoli a passare in rassegna la flotta italiana. Erano già due settimane che ci preparavamo per la grande sfilata. Ci facevano marciare su e giù lungo via Partenope, in fila per sei, fino a quando non ci sedevamo stremati per terra; io, ogni volta che passavo sotto casa, alzavo un po' più degli altri il braccio destro per farmi riconoscere dai miei che stavano al balcone. Avevo nove anni e mezzo ed ero stato appena nominato *marinaretto del Duce* (un corpo speciale dei balilla). Il nostro battaglione aveva in forza quattrocento effettivi, quasi tutti residenti a Santa Lucia e a Mergellina. La divisa era bellissima: uguale in tutto e per tutto a quella dei marinai veri, con in più le giberne bianche per metterci dentro le cartucce dei moschetti (che avrebbero dovuto darci, ma che non ci dettero mai).

Quella mattina fui costretto ad alzarmi molto presto per presentarmi alle sette al Molosiglio. La sera prima, avevo litigato fino a tardi con mio padre perché non aveva voluto comprarmi le scarpe nere per la divisa. Per papà quelle marrone andavano più che bene.

«Adesso secondo te Hitler, con tutte le preoccupazioni che tiene, tra quattrocento ragazzi che gli sfilano davanti, s'accorge che ce ne sta uno con le scarpe marrone? Ma fammi il piacere!»

«Tu, *bell'e mammà*,» suggeriva mia madre «cerca di nasconderti: mettiti giusto al centro della fila.»

«Ma come mi nascondo? Quello, il comandante, prima ancora della sfilata, ci fa l'ispezione uno per uno!»

«E vabbè: vuol dire che io adesso te le lucido con la cromatina nera, e così non ci pare che sono *marrò*.»

Come avevo previsto, fummo sottoposti a un controllo scrupoloso. Innanzitutto ci dissero che solo i migliori di noi avrebbero sfilato e che non saremmo stati più di duecento; poi ci misero in fila per tre e se qualcuno non era in perfetto ordine tutta la terzina veniva eliminata. Quando arrivò il mio turno, tremavo come una foglia.

«Scarpe marrone,» disse il comandante «via tutti e tre!» e passò oltre.

A quel punto gli altri due se la presero con me per via delle scarpe e cominciarono a strattonarmi. Con uno scatto improvviso mi divincolai e tentai la fuga attraverso i giardinetti, ma i due farabutti mi riacciuffarono subito.

«*Stu fetente!*» gridavano. «*S'à voluto mettere 'e scarpe marrò, stu zuzzuso!*»

Prima mi dettero un sacco di botte, poi mi sfilarono le scarpe e me le buttarono a mare. Tornai a casa scalzo e in lacrime. Mio padre, vedendomi così ridotto, voleva tornare al Molosiglio per dare una lezione ai due mascalzoni, ma mia madre non lo fece uscire di casa. «Lascia perdere,» diceva «non ti mettere contro i fascisti. Queste sono giornate dove ognuno si deve fare i fatti suoi.» Ora io non so se l'episodio sia sufficiente a farmi riconoscere un passato da perseguitato politico, certo è che la «giornata particolare» per me fu una pessima giornata.

Gli italiani degli anni Quaranta erano quasi tutti fascisti nella vita quotidiana e antifascisti sfegatati nel raccontare le barzellette. Uno dei covi più importanti della resistenza satirica napoletana era il retrobottega del negozio di mio padre in piazza dei Martiri. Leader indiscusso della barzelletta politica era il capotagliatore don Eduardo, anarchico-marxista e nel contempo innamorato cotto di una delle nostre commesse: la signorina Bertoloni. Ogni volta che la signorina Bertoloni gli passava accanto, lui si prendeva la testa fra le mani e guardando il cielo, come a chiamarlo a testimone, esclamava: «*Chesta me fa ascì pazzo a me!*».[1]

La passione per la commessa non gli impediva di sfornare ogni giorno una barzelletta nuova contro il regime. Le riunioni avevano luogo durante l'intervallo del pranzo, più o meno tra le due e le quattro e coinvolgevano tutti i commercianti della piazza. A uno a uno gli affiliati entravano con fare circospetto e andavano direttamente nel retrobottega. Don Eduardo aspettava in silenzio che il fattorino avesse abbassato la saracinesca, dopo di che si andava a sedere sul banco da tagliatore, con le gambe penzoloni, e cominciava a raccontare la «prima», parlando a voce bassissima, come se temesse che qualcuno, dalla strada, lo potesse sentire.

[1] Questa mi fa impazzire!

Un giorno Farinacci va a fare un'ispezione nelle campagne e chiede a un contadino:
«Che cosa dai da mangiare tu alle galline?»
«Eccellenza, e che volete che ci do da mangiare!» esclama il contadino. «Ci do il granturco.»
«Il granturco!» urla Farinacci. «Ma lo sai che il granturco serve a fare il pane per i nostri soldati! Tu sei un disgraziato: tu non ami la patria!»
A questo punto il responsabile del partito per l'agricoltura, per non fare altre brutte figure, manda un motociclista in avanscoperta perché avvisi tutti i contadini di non rispondere più «granturco».
Secondo podere, seconda ispezione.
«Che cosa dai da mangiare tu alle galline?» chiede ancora Farinacci al contadino.
Il contadino, avvisato dal motociclista, si guarda bene dal dire «granturco» e risponde: «L'orzo. Eccellenza noi ci diamo l'orzo, perché pare che l'orzo piace molto alle galline».
«L'orzo!» strepita Farinacci. «Ma lo sai tu che l'orzo serve a fare il caffè per i nostri soldati! Tu sei un disgraziato: tu non ami la patria!»
Nuova partenza del motociclista e nuovo ordine: niente granturco e niente orzo. Sennonché al ventesimo podere la situazione si fa davvero difficile. I mangimi innominabili ormai sono tanti: granturco, orzo, olive, carrube, semi di arachide, fave, nocelle e pistacchi sono tutti all'indice. Farinacci però non demorde e continua a porre sempre la stessa domanda.
«Che cosa dai da mangiare tu alle galline?»
«Eccellè,» risponde frastornato il ventesimo contadino «volete sapere la verità: noi ogni mattina gli diamo due lire e loro si comprano quello che vogliono!»
Immediatamente la barzelletta faceva il giro della città: bastava un solo bombardamento perché si diffondesse in tutti i rifugi antiaerei. Ma qui credo che sia opportuno fare

una breve digressione su Napoli e sui bombardamenti agli inizi degli anni Quaranta.

Il primo rito era quello del preallarme: non c'era in tutta la città una sola persona che non avesse almeno «un cugino nella contraerea». Il preallarme si diffondeva a macchia d'olio non appena un aereo alleato veniva avvistato al largo delle coste della Sicilia: ogni napoletano degno di rispetto, una volta ricevuto l'avviso, provvedeva a sua volta a telefonare ai parenti, agli amici e agli amici degli amici. È inutile dire che questa catena di Sant'Antonio era severamente proibita, ragione per cui tutti gli avvisatori parlavano in codice: «È scoppiata Piedigrotta», «Arriva la stagione delle castagne», «Stanotte si balla», «Si prevedono temporali», queste le frasi più usate e, diciamo la verità, nemmeno le più difficili da interpretare.

Noi per sicurezza andavamo a dormire vestiti: alla prima sirena già ci eravamo messi le scarpe, alla seconda stavamo nel rifugio. Papà soltanto restava qualche minuto in più per telefonare a zio Eduardo che era sordo e che chissà per quale strano fenomeno riusciva a sentire solo la sirena del cessato allarme, ragione per cui quando scendeva in cantina tutti gli altri salivano e gli ridevano dietro.

Giù nel rifugio ci dividevamo per sesso, per età e per idee politiche: i ragazzi giocavano a palla, le donne recitavano il rosario e gli uomini si raccontavano, tanto per cambiare, le ultime barzellette tra le minacce e le implorazioni del capopalazzo, il cavalier Fiorito.

«Voi a me uno di questi giorni mi farete passare un guaio!» protestava il poveretto che oltretutto era anche gerarca. «Per colpa vostra sarò cacciato dal partito!»

«Cavaliè,» rispondeva papà «noi qua stiamo per morire e voi pensate al partito! Ma la sapete quella di Hitler e Mussolini che s'incontrano all'inferno?»

«Quale?» rispondeva Fiorito in tono lamentoso, ma nello stesso tempo incuriosito. «Quella degli otto milioni di baionette che diventano otto milioni di forchette?... La so, la so, ma voi non la dovete raccontare!»

In verità le barzellette al cavaliere piacevano moltissimo, anzi, le avrebbe raccontate lui per primo, solo che ne avesse avuto il coraggio; certe cose però non le poteva tollerare: i «disfattisti», per esempio, erano una vera e propria minaccia per la sua tranquillità e nel palazzo ce n'era un gruppo molto agguerrito che faceva capo all'avvocato Ventrella.

Silenziosi, intellettuali, poco disposti a entrare in confidenza con gli altri inquilini, i disfattisti amavano rinserrarsi nell'ultimo vano del rifugio, e con la scusa di giocare a tressette dicevano peste e corna del regime. Spesso scendevano in cantina ancora prima che fosse scattato l'allarme: con la scusa di non voler essere interrotti a metà partita si davano appuntamento direttamente nel rifugio.

Oltre al già citato avvocato Osvinio Ventrella, facevano parte del gruppo disfattista: il professor Kernot, colpevole agli occhi del regime di avere un cognome straniero, l'ingegnere Sossich, di origine austriaca ma coniugato con una signora inglese, Marco Terracini ebreo (e tanto bastava) e Peppino Lucariello che oltre a essere un falso tressettista era anche un falso disfattista in quanto non interessato alla politica. Frequentava il gruppo solo perché innamorato della bella Elena, una delle tante sorelle dell'avvocato Ventrella. Sesto, ma non ultimo come importanza, Marco Ricca, pluridecorato della guerra '15-18 e feroce contestatore del regime. Se Ricca non era ancora finito in galera lo doveva, oltre che al suo passato di eroe, a una seminfermità mentale che gli era stata riconosciuta anche in tribunale, durante un regolare processo. Il reduce, infatti, era solito appendere tutte le medaglie al collare del suo cane, un bastardino di nome Montegrappa, e andarsene a passeggiare davanti a Palazzo Reale, pretendendo oltretutto il presentat'arm dalle guardie.

Il gruppo adoperava come sentinelle Nunzia e Angelina, le cameriere di Osvinio Ventrella. Nunzia aveva l'incarico di controllare il cavalier Fiorito: non appena lo vedeva avvicinarsi gridava «la quaglia, la quaglia» e tutti smettevano di parlare (la quaglia stava a indicare l'aquila dorata che il gerarca portava sul cappello). Angelina invece, in quanto più anziana e autorevole, era addetta al volume delle voci: quando i tressettisti l'alzavano troppo invitava tutti alla moderazione.

Il giorno dopo noi ragazzi uscivamo all'alba per essere i primi a raccogliere schegge, *shrapnel*, traccianti, frammenti di bombe, spezzoni, proiettili di mitragliere e tutto quello che in un modo o nell'altro era caduto dal cielo. Camminavamo a testa bassa, guardando a destra e a sinistra, pronti a fiondarci sul primo luccichio che avesse fatto capolino da una sconnessura dei sampietrini. A scuola poi facevamo i cambi: uno *shrapnel*, metà alluminio e metà rame, valeva quattro schegge comuni, una granata perforante con relativo tappo coprispoletta in ottone almeno sette pezzi. I frammenti delle bombe USA invece, essendo solo pezzi di ferro sfrangiati, non erano molto richiesti. Raccogliere schegge divenne ben presto un hobby per tutti i ragazzi napoletani, né più né meno di quanto era già accaduto con le figurine Perugina.

Chi nella vita non ha mai trovato un Feroce Saladino in una scatola di cioccolatini non sa che cos'è la felicità allo stato puro! Verso la metà degli anni Trenta tutta l'Italia fu presa dalla febbre del concorso Perugina: prima una fortunata trasmissione radiofonica, quella dei Quattro Moschettieri, poi la difficile reperibilità di una particolare figurina, quella del Feroce Saladino, avevano trasformato un innocente concorso in una mania popolare. Ogni sera centinaia di persone si riunivano a piazza dei Martiri, davanti al negozio della Perugina (proprio accanto a quello di papà) e fissavano le quote del giorno. Era una vera e propria borsa valori: «Crik e Crok» erano dati a 8, «Il Cagnolino Pekinese» a 15, «Il Dannato Visconte» a 20, e per «Il Feroce Saladino» le quote oscillavano dalle 100 alle 200 figurine comuni. Le autorità fasciste sospesero il concorso quando si resero conto che le figurine erano diventate più affidabili delle banconote del regno.

Tra bombardamenti, schegge e figurine Perugina tirammo a campare fino al febbraio del '42, quando un'incursione aerea più micidiale delle altre convinse papà a sfollare. Lo stesso Mussolini aveva detto: «Chi ne ha la possibilità, ha il dovere di andare via da Napoli. Che siano messi in salvo donne e bambini. Restino solo coloro che hanno l'obbligo civico e morale di rimanere». Ma dove trovare un posto sicuro, fuori dalle rotte dei bombardieri? Noi eravamo una famiglia alquanto numerosa: padre, madre, due figli, una nonna di novant'anni, una zia sorda (zia Maria), uno zio praticamente inaffidabile (zio Luigi) e due cameriere analfabete. Ci mettemmo subito a cercare un paese privo di obiettivi bombardabili e non troppo distante da Napoli. Chi proponeva Sorrento, chi Capri e chi, come zio Luigi, addirittura Trento dove, a sentire lui, ci sarebbe stata una sua amica, proprietaria di una pasticceria, che ci avrebbe ospitati tutti, dal primo all'ultimo.

«Trento è troppo vicina al fronte orientale» obiettava papà. «Fai conto che i russi sfondino, noi che fine facciamo? Io da quelle parti ci sono già stato nel '15-18 e vi assicuro che non mi sono trovato bene.»

«Ma che debbono sfondare!» replicava zio Luigi. «I russi hanno già perso la guerra: sono in ritirata su tutta la linea! Pensa piuttosto alla proprietaria della pasticceria: ti rendi conto che pranzetti ci farebbe fare quella lì? Hai mai mangiato uno strudel? *Delikatessen* austriache, Eugè, altro che babà e sfogliatelle!»

«E quella si prenderebbe in casa nove persone affamate come noi, solo per la tua bella faccia? *Ma famme 'o piacere!*»

«Liselotte per me farebbe pazzie.»

«Luigi, *lassa stà a Liselotte* e cerchiamoci un paese tranquillo» lo zittiva papà. «Qua noi dobbiamo trovare il ventre della vacca.»

«E che cos'è il ventre della vacca?» chiedevo io.

«È il posto più sicuro del mondo: un luogo silenzioso, pacifico, dove non succede mai nulla, dove non escono nemmeno i giornali.»

Una sera papà tornò a casa con una carta del Touring Club, scala 1:200.000. La stese sul tavolo da pranzo e, dopo averla bloccata agli angoli con quattro portacenere, se la studiò per due ore di seguito con la massima attenzione. Poi, improvvisamente, lo vedemmo alzarsi di scatto.

«Eccolo qua,» esclamò trionfante, mentre indicava un punto sulla carta «questo è il ventre della vacca!»

«E come si chiama?»

«Cassino.»

E fu così che sfollammo tutti a Cassino. Papà, senza saperlo, ci aveva procurato alcune poltrone di prima fila per assistere a una delle più tremende battaglie della Seconda guerra mondiale. Sarebbe bastato conoscere un po' di Storia patria per evitare quella scelta: ogniqualvolta, infatti, un esercito invasore ha attraversato l'Italia, è sempre passato per Cassino. La pianura ai piedi dell'Abbazia è l'unico corridoio che consenta il passaggio da nord a sud e viceversa. Nel IV secolo a.C. ci passarono i romani per marciare contro i sanniti, un po' più tardi Fabio Massimo per fermare Annibale, quindi Belisario con i bizantini, Totila con i goti e infine Gonzalo Fernández de Córdova con le truppe della regina Isabella, per non parlare poi di Montecassino, una montagnella alta poco più di cinquecento metri che sembra messa lì apposta per fare da sentinella alla valle del Liri. Anche il più sprovveduto degli strateghi, guardando la zona, avrebbe detto: «Qui li fermiamo per almeno un anno!». E noi proprio lì andammo a nasconderci.

Trovammo casa a San Giorgio a Liri, un paesetto a una decina di chilometri da Cassino, e debbo ammettere che per quasi un anno ci sembrò davvero di aver trovato il ventre della vacca: niente giornali, né tessere annonarie, né ronde UNPA, né bombardamenti a tappeto, né bollettini dal fronte, né contraerea, né rifugi con sacchetti di sabbia, né altre sofferenze del genere. Per avere notizie sull'andamento delle operazioni bisognava chiederle al «Balilla», un bizzarro personaggio sui trent'anni, che faceva continuamente la spola tra Napoli e Roma. Tutti lo chiamavano il Balilla per come era solito andare in giro: calzoni grigioverdi alla zuava, maglione da sciatore grigio-topo e caratteristico fez fascista con fiocco nero in cima.

«Secondo me, il Balilla è una spia dei fascisti,» diceva zio Luigi «ha *le physique du rôle*. Un mio amico che lavora all'Intelligence Service questo mi ha detto: "Luigì, stai attento alle spie: ce ne sono a migliaia! Mussolini ne ha messa una in ogni paese!". Ora chi volete che possa fare la spia nella zona di Cassino? Solo il Balilla.»

Non che noi avessimo qualcosa da nascondere, ma zio Luigi era solito ascoltare Radio Londra con una vecchia Allocchio Bacchini che, a sentire lui, gli era stata regalata da Guglielmo Marconi in persona. Per cui, non appena sentivamo il lugubre «*du-du-du-dum, du-du-du-dum, qui Radio Londra*», uno di noi andava di vedetta al balcone a controllare che non ci fosse il Balilla nelle vicinanze.

Per qualche mese frequentai il ginnasio a Cassino, poi, essendo stato sospeso il servizio dei pullman, continuai a studiare privatamente con un professore ebreo che abitava poco lontano da noi e che viveva in uno scantinato. Si chiamava Ravenna e in poco meno di sei mesi m'insegnò più cose lui che non tutti i professori che avevo avuto in tre anni a Napoli: m'insegnò il latino, la storia, l'italiano, il greco e soprattutto la matematica. Insomma, tutto il programma del quarto ginnasio a eccezione del tedesco che non voleva nemmeno sentir nominare perché era allergico alla lingua. Pare che nella zona di Cassino io fossi l'unico scolaro ad aver studiato il tedesco.

Una sera arrivò il Balilla e ci comunicò che a Napoli c'era stato un terribile bombardamento con morti e feriti, e che erano stati colpiti parecchi edifici nei pressi della stazione ferroviaria. La cosa ci fece molta impressione, anche perché, proprio in quella zona, in corso Garibaldi, abitava mio zio Alberto, uno dei tanti fratelli di mammà. Papà gli mandò immediatamente un telegramma: «RAGGIUNGICI SUBITO CASSINO STOP QUI VENTRE VACCA». Non so che cosa abbia potuto capire zio Alberto da un telegramma del genere, certo è che dopo qualche giorno lo vedemmo arrivare, su un camion, con tutta la famiglia, ovvero con la moglie, i tre figli, una cameriera di nome Carolina e la «cucina americana».

Chi conosceva zio Alberto conosceva anche la «cucina americana». A sentire mia madre si trattava della ottava meraviglia del mondo.

«Gesù, Gesù, voi la dovreste vedere! Come prima cosa è rossa, tanto che non sembra nemmeno fatta di legno, e poi è lucida lucida, come se ci avessero appena passato la cera. Ma non basta: alcuni mobiletti non tengono i piedi per terra, come tutte le cucine, ma stanno azzeccati in faccia al muro e non cadono!»

Era uno dei primi modelli di cucine in fòrmica venuti dall'America. Mio zio l'aveva comprata di seconda mano da un ingegnere americano che era dovuto partire in fretta e furia per gli Stati Uniti. Chi andava a casa di zio Alberto già sapeva che, come prima cosa, lo avrebbero costretto a vedere la cucina americana. Di fronte ai pensili rossi non si poteva restare indifferenti: il commento minimo era un «oh» prolungato di stupore. Ecco perché lo zio si era lasciato convincere ad allontanarsi da Napoli: per mettere in salvo la cucina, e con essa la famiglia.

Con l'arrivo dei cugini diventammo quindici e in proporzione aumentò anche l'allegria. Se da una parte ci sentivamo meno soli, dall'altra si era dissolto quel famoso ventre della vacca tanto decantato da mio padre: insieme ai parenti, infatti, arrivò anche il 25 luglio e con esso la fine della nostra tranquillità.

La caduta del fascismo mi si presentò davanti sotto forma di un carabiniere in divisa.

«Il maresciallo ti vuole.»

«E perché mi vuole?»

«Perché sei l'unico che conosce il tedesco.»

Per strada cercai di saperne di più, ma non ci fu verso di scippargli una parola.

«Ho fatto qualche cosa di male?»

«Cammina e non fare domande!» rispose lui e affrettò il passo.

Attraversando la piazza del paese, si mise addirittura a correre.

«Ma che è successo?»

«Ti ho detto: corri e non parlare!»

Nel frattempo io mi tormentavo: ma che avrò fatto di così terribile da farmi venire a prendere dai carabinieri? Ero andato in bicicletta senza catarinfrangente? Avevo schiamazzato per strada dopo la mezzanotte? Poi improvvisamente mi ricordai: la settimana prima, giocando a palla, avevo colpito il viceparroco mentre scendeva i gradini della chiesa. Vabbè, pensai, lo avrò colpito, però non è che l'ho ammazzato! Non si finisce in galera per una cosa così. E poi: che c'entrava il viceparroco col tedesco?

Appena entrato nell'ufficio del maresciallo, mi si presentò una scena quasi comica: un soldato tedesco, ubriaco, stravaccato su una sedia al centro della stanza, e intorno a lui, come due *entraîneuses*, il maresciallo e un altro carabiniere che cercavano di fargli bere del vino. Il soldato aveva il colletto della divisa sbottonato (trasandatezza inconcepibile in un tedesco) e cantava a squarciagola, nella sua lingua, «stella d'argento, che brilli lassù».

«Ecco qua il ragazzo» disse il mio carabiniere.

«Sai il tedesco?» mi chiese il maresciallo.

«L'ho studiato a scuola: però l'anno scorso sono stato rimandato a ottobre.»

«*Va buò*,» tagliò corto lui «fatti dire quanti carri armati ci sono qui intorno.»

«E come si dice "carri armati"?»

«Si dice *Panzer*» suggerì uno dei carabinieri.

Mi sentii importantissimo e nello stesso tempo mi sembrò di dover fare l'esame di tedesco.

«*Bitte Kamerad*,» cominciai a dire, non senza una punta d'emozione «*wieviele Panzer sind in San Giorgio?*»[2]

«*Panzer?*» esclamò il soldato, quasi incredulo che gli si potessero fare domande del genere.

«*Ja, Panzer.*»

«*Dies ist "Panza"*»[3] rispose lui e cominciò a battersi la pancia come se fosse stata un tamburo.

«*No Panza, Panzer!*» precisai io alzando la voce. «*Nicht Panza, Panzer!*»

«*Ja, ja. Panzer!*» ripeté lui, ridendo fino alle lacrime. Poi aggiunse in italiano: «*Mia panza piena vino, verstanden sie? Mia panza piena vino… mia panza piena vino…*».

Un violento rumore alle nostre spalle ci fece voltare tutti: la porta si spalancò di colpo ed entrarono due tedeschi delle

---

[2] Scusi, camerata, quanti carri armati ci sono a San Giorgio?
[3] Questa è la «panza».

SS con le armi in pugno. I carabinieri alzarono le braccia in segno di resa e una delle due SS mi scaraventò fuori dall'ufficio con uno spintone.

«*Raus!*»

Feci appena in tempo a vedere che anche il tedesco ubriaco si era allineato con i carabinieri lungo la parete e aveva alzato le braccia: evidentemente nemmeno lui si sentiva troppo sicuro davanti alle SS.

Nel giro di ventiquattro ore tutto il paese fu occupato dai tedeschi e tranne il Balilla, che andava su e giù come se niente fosse, nessun civile aveva più il coraggio di arrischiare la testa fuori di casa. Oltretutto, c'era il coprifuoco e si correva il rischio di essere colpiti anche solo affacciandosi alla finestra.

Qualcuno disse che gli alleati erano già arrivati a Sessa Aurunca e che ormai era questione di ore. Da lontano cominciammo a sentire i primi cannoneggiamenti.

«Entro fine settimana saranno qui a Cassino e poi come dei falchi si butteranno su Roma» proclamò zio Luigi che solo per essere stato due volte in America si sentiva americano.

«Quest'anno, se Dio vuole, ci facciamo Natale a Napoli» profetizzò mio padre, una volta tanto in pieno accordo con zio Luigi.

Seguimmo, giorno dopo giorno, l'avanzata degli alleati sulla carta del Touring. Un po' ci basavamo sulle «voci», un po' sulle notizie che ci portava il Balilla e un po' sui bollettini di Radio Londra. Di tanto in tanto qualche aereo americano veniva giù in picchiata a mitragliare un carro armato o una colonna di tedeschi. Insomma la guerra ci aveva riacchiappato e ancora una volta ci costringeva ad allontanarci dal centro abitato.

Mio padre trovò a pochi chilometri dal Garigliano una bella villa del Settecento, alquanto malandata in verità, ma sufficiente a ospitarci tutti, cucina americana compresa.

Purtroppo ancora una volta si era avvicinato nelle scelte ai gusti del maresciallo Kesselring: la «Gustav», la linea strategica decisa dai tedeschi, comprendeva per l'appunto l'intero percorso del Garigliano, dalla confluenza con il Rapido fino al mare. Nel frattempo, sull'altra riva, il generale Alexander andava ammassando le sue forze e precisamente: la 5ª armata americana, l'8ª britannica, gli indiani, i polacchi, i canadesi, i francesi di Juin, i neozelandesi, i marocchini, i sudafricani e perfino gli italiani: tutti a Cassino, nel ventre della vacca, come nel finale di una commedia di Scarpetta.

Donna Rita, la proprietaria della villa, era una settantenne signora un po' rintronata: viveva insieme a una cameriera di nome Rocchetta, anch'essa settantenne e anch'essa rintronata. Donna Rita non faceva che parlare di suo figlio, di come era bravo, di come era bello e del fatto che, poverino, era dovuto partire per la Russia con il grado di colonnello di artiglieria, e che se fosse rimasto a Cassino tutto questo non sarebbe successo.

Qualsiasi cosa le chiedevamo in prestito (che so io: un martello, una scala o un paio di forbici) rispondeva sempre: «Mi spiace, ma non è roba mia: quando torna il colonnello dalla Russia, vi do tutto quello che volete».

Dalla mattina alla sera non c'era nulla da fare e in verità per un paio di mesi, a parte le granate che gli alleati ci recapitavano due o tre volte al giorno, tanto per ricordarci che eravamo in guerra, non stavamo affatto male. In casa avevamo grandi scorte di mele e d'olio. Di certo non saremmo morti di fame anche se i menù erano sempre gli stessi: come primo mangiavamo mele cotte, come secondo mele fritte, come dolce torta di mele e come frutta ovviamente mele. Oggi non assaggio più una mela nemmeno se mi ammazzano.

Un giorno trovai in soffitta una cassa con ventidue libri di Wodehouse: c'erano tutte le imprese di Jeeves, il maggiordomo impeccabile, e le storie del castello di Blandings.

«Questi libri non si toccano!» strillò donna Rita. «Sono del colonnello», e si precipitò a chiudere la cassa con un catenaccino.

Io però trovai il modo di aprire il lucchetto con un chiodo e ogni tre o quattro giorni me ne leggevo uno. Per non farmi scoprire da donna Rita leggevo solo di notte e alla luce di piccole lampade confezionatemi da zio Alberto. Queste lampade consistevano in un bicchiere d'olio con al centro un lucignolo infilato in un pezzo di sughero. L'olio c'era, la voglia di leggere pure, e così in meno di tre mesi lessi ventidue libri. Non ho mai capito se sono diventato umorista per aver letto tutto Wodehouse, o se mi piacque tanto Wodehouse perché ero nato umorista.

Zio Alberto era un Leonardo da Vinci del «fai da te». Bravissimo a dipingere, se avesse voluto sarebbe potuto diventare un falsario di capolavori. Comunque, a parte la pittura, si adattava a fare qualsiasi lavoro: il falegname, il giardiniere, il muratore, l'idraulico e via dicendo. Nella vita non aveva un mestiere ufficiale («modestamente,» diceva, «non ho mai lavorato») ma in caso di bisogno li avrebbe saputi far tutti. Tagliava i capelli a tutta la famiglia, aggiustava le mattonelle del bagno, risuolava le scarpe e cuciva come un sarto provetto. Con un ingegnoso sistema di secchi inventò anche un marchingegno con il quale ogni mattina ci si poteva fare la doccia accanto al pozzo.

Dopo cena ci riunivamo intorno al camino e recitavamo il rosario. Una sera, al terzo mistero doloroso, sentimmo bussare alla porta. Per qualche secondo nessuno fiatò: non era possibile che qualcuno ci venisse a trovare a quell'ora. La nostra villa era completamente isolata dal resto del mondo e le strade non erano praticabili a causa del fango e dei carri armati che le dissestavano.

Gli uomini (papà, zio Alberto e zio Luigi), con al seguito i ragazzi (io e mio cugino Geggè), andarono ad aprire la porta. Fuori, elegantissimo (senza nemmeno uno schizzo di fango sui vestiti e con una valigia in mano), c'era un giovanotto sorridente.

«È questa la casa di donna Rita?»

«Sì è questa... e lei chi è?» balbettò zio Alberto come se avesse visto un fantasma.

«Sono il nipote di donna Rita: è in casa mia zia?»

Lo accompagnammo nell'ampio stanzone dove tutte le donne erano in attesa.

«Donna Rita, qua c'è vostro nipote» annunziò solenne zio Alberto.

«Zia Rita!» esclamò il nuovo venuto dirigendosi verso mia madre a braccia spalancate. «Dove siete che vi voglio abbracciare.»

«Sono qui» rispose donna Rita dall'altra parte della stanza.

«Zia Rita carissima!» ripeté il giovanotto, senza scomporsi e virando di 180 gradi. «Sono Ginetto... il figlio di vostra sorella Annarosa... Vi ricordate di me?»

«Sì,» mormorò donna Rita «e che fai qui?»

«Sono di passaggio: vengo da Ascoli Piceno e sto andando a Napoli. Mi hanno detto che sul Liri è più facile passare il fronte. Posso restare a dormire da voi un paio di giorni?»

Gli preparammo una brandina in soffitta e zio Alberto gli confezionò uno dei suoi famosi lumi a olio in modo che potesse consultare tutte le carte geografiche che si era portato dietro. Io e Geggè, durante la notte, lo spiammo dal buco della serratura e lo vedemmo tirar fuori dalla valigia una piccola radio portatile.

La mattina dopo il nipote di donna Rita era l'argomento del giorno. Tutti, tranne Rocchetta, parlavano bene di lui.

«Povero *guaglione*,» disse mammà «quello, se passa il

fronte, rischia di farsi sparare dai tedeschi! Secondo me, lo dovremo convincere a non partire.»

«E dove lo mettiamo?» ribatté astiosa Rocchetta. «Noi qua già stiamo stretti! Poi quello è uomo: mica può dormire con me e donna Rita!»

«Io invece penso che, se veramente va a Napoli, potremmo approfittare di lui per far arrivare una lettera ai nostri parenti» propose zio Alberto.

«Questa sì che è una bella idea!» gli fece eco zio Luigi. «Io a Napoli ho mille interessi: secondo me tutti i napoletani a quest'ora si staranno domandando "Ma Luigino che fine ha fatto?".»

«Io non tengo nipoti!»

Questa frase, appena sussurrata da donna Rita, ci lasciò tutti ammutoliti.

«Come sarebbe a dire che non avete nipoti?» chiese papà.

«Vuol dire che non ne ho.»

«E allora quel signore chi è?»

«E io che ne so.»

«Ma vostra sorella Annarosa ce l'ha un figlio?»

«Io non ho sorelle: sono figlia unica.»

«È una spia, è una spia!» gridò zio Luigi eccitatissimo. «Lo sapevo che era una spia!»

«Zitto che ti sente!» gli disse zio Alberto.

«Ieri sera come l'ho visto ho subito pensato: questo è una spia!» continuò zio Luigi, abbassando leggermente la voce. «Ve lo ricordate *L'uomo dall'artiglio*? Il film con Elio Steiner? *Chillo ca faceva 'o spione? Tale e quale: 'a stessa faccia!*»

«Secondo me è un paracadutista,» suggerì Geggè «sarà atterrato dietro la casa, poi si è cambiato di vestito e si è presentato a noi con la storia del nipote. Vuoi vedere che adesso, se andiamo fuori e scaviamo nel terreno, troviamo pure il paracadute?»

Alla parola «paracadute» intervenne anche zia Maria: «Fosse Iddio e trovassimo un paracadute: a Napoli la signora Santommaso con la stoffa di un paracadute si è fatta ventidue camicie di seta».

«D'accordo,» continuò papà ignorandola «ma come faceva a sapere che qui abitava una signora anziana che si chiamava donna Rita?»

«All'Intelligence Service sanno tutto,» rispose zio Luigi «sanno pure che io sono sfollato a San Giorgio a Liri.»

«Sì, sì, voi scherzate, ma qua se i tedeschi trovano il paracadute noi passiamo un guaio tutti quanti» disse zia Anita, di solito la più sensata di tutti. «Lo sapete che per una cosa così la settimana scorsa hanno fucilato uno a Pignataro? Non è vero Antoniè?»

Antonietta, la nostra cameriera in seconda, chiamata in causa confermò la notizia.

«Sissignore. A Pignataro i tedeschi, nella cantina di un contadino, hanno trovato un paracadutista americano nascosto dentro a una botte: il paracadutista se lo sono portato via e al contadino lo hanno sparato in fronte!»

«Gesù Giuseppe Sant'Anna e Maria!» esclamarono in coro le donne.

«E voi donna Rita perché ieri sera non avete detto che non lo conoscevate?»

«Perché avevo paura che ci ammazzasse a tutti quanti!» piagnucolò donna Rita. «Non vi siete accorti che sotto la giacca teneva una specie di paccotto?»

«Un rigonfiamento?»

«Secondo me era una rivoltella.»

«Sì, però, adesso se ne deve andare!» concluse zio Alberto alquanto preoccupato. «Noi qui abbiamo cinque figli, tutti minorenni, e certi rischi non li possiamo correre! Io vado sopra e glielo dico.»

«Tu non ti muovi» gli intimò zia Anita. «Spetta a donna Rita, che è la padrona di casa, dirgli che non può restare.»

«Io? Io non vado da nessuna parte!» replicò donna Rita. «Adesso mi chiudo in camera mia e non esco più fino alla fine della guerra!»

«Luciano,» m'intimò Geggè «andiamoci io e te!»

«Tu non ti muovere che sennò ti riempio di mazzate!» mi urlò papà, prima ancora che potessi rispondere. «Io e Alberto siamo gli uomini di casa e a noi due tocca andare.»

«E io che cosa sarei, una donna?» protestò zio Luigi. «Anch'io ho il diritto di difendere la famiglia.»

«Veramente io avrei un'altra idea» suggerì mia madre. «Noi adesso facciamo una bella cosa: ci andiamo tutti quanti assieme e glielo diciamo calmo calmo, con la massima' gentilezza. Gli diciamo così: "Sentite signora spia, scusateci tanto, ma siccome non vogliamo essere sparati, fateci il piacere di andare a dormire da un'altra parte".»

Salimmo tutti in soffitta, gli uomini in testa e le donne in coda, ma del paracadutista non trovammo nemmeno l'ombra: da vera spia, come era apparso, così era sparito.

VIII
La fame

Un bel giorno anche le mele finirono e per noi cominciò il periodo della fame. Ci mandavano a letto digiuni, con la sola promessa che il giorno dopo avremmo mangiato a sazietà.

«Dormire è uguale a mangiare!» sentenziava papà. «E adesso dormite!»

Facile a dirsi, non altrettanto a tradurlo in pratica. Per quanti sforzi facessi, non c'era verso di prendere sonno. Andavo a letto alle sei, non appena veniva buio, e restavo lì, sdraiato, immobile, per ore e ore, sempre a pensare che cosa mi sarebbe piaciuto mangiare. E anche quando mi addormentavo la fame continuava a trapanarmi il cervello: sognavo tavole imbandite dietro cancelli sbarrati, piatti di spaghetti che sparivano nel nulla non appena vi affondavo dentro la forchetta, centinaia di prosciutti appesi al soffitto e non una scala per poterli arraffare. Oltre alla forma e al colore, ero capace di sognare anche il sapore di ogni singola pietanza e perfino il rumore del pane croccante appena uscito dal forno.

Nel silenzio della notte, rotto solo da cupi rimbombi di artiglierie lontane, c'era sempre qualcuno che cominciava a parlare di cibo.

«Te li ricordi i rigatoni?»

«Ah sì, i rigatoni! Me li ero proprio dimenticati: noi a casa li chiamavamo i *paccheri*.»

«Non dire sciocchezze: i *paccheri* sono una cosa e i rigatoni sono un'altra. I *paccheri* sono larghi e schiacciati, i rigatoni sono tondi e rigati. E lo sai perché i rigatoni sono rigati? Perché così il ragù *s'impizza* dentro ai solchi delle righe e non scivola via.»

«A me mammà i rigatoni me li faceva con la ricotta!»

«E te lo ricordi il *gâteau* di patate?»

«Il *gâteau* di patate? E come se me lo ricordo!... Con la mozzarella... i pezzettini di salame... il pane grattugiato... Com'era buono il *gâteau* di patate!»

Passavamo il tempo a dire: «Io adesso mi mangerei questo, no, io mi mangerei quest'altro!». Il bello era che qualche volta finivamo anche col litigare su che cosa avremmo voluto mangiare.

«La pasta e fagioli non la voglio» dichiarava zio Alberto, come se davvero qualcuno gliela stesse per offrire. «Se proprio debbo desiderare qualcosa, e allora fatemi la cortesia di farmi sognare due fusilli alla *genovese*.[1]»

«E tu vuoi mettere i fusilli alla *genovese* con la pasta e fagioli?» replicava papà scandalizzato. «Ma fammi il piacere: la pasta e fagioli è la regina della tavola!»

«Tutto dipende da come si fa la *genovese*: voi di Santa Lucia, tanto per fare un esempio, non la sapete fare.»

«Ecco qua: adesso arrivano quelli del corso Garibaldi a insegnare a noi come si fa la *genovese*! *Ma nun dicere fessarie!*»

«Proprio così,» insisteva zio Alberto «voi non la sapete fare! Innanzitutto a Santa Lucia usate il *lacerto*[2] mentre noi

---

[1] *Genovese* (da non confondere col pesto alla genovese): salsa napoletana a base di carne e cipolla, inventata (si dice) da un cuoco il cui cognome era per l'appunto Genovese.

[2] *Lacerto*: muscolo pregiato del manzo situato tra il girello e il sottocoscia.

al corso Garibaldi adoperiamo *'o gambunciello*[3] e questa già sarebbe una prima differenza, poi noi le cipolle le tagliamo a fette e voi le mettete tutte intere...»

«La cipolla non deve conoscere il ferro: se vede la lama si avvilisce!» sentenziava papà.

«E invece va tagliata, altrimenti non si sposa con gli odori» ribatteva zio Alberto.

«E voi quali odori mettete?» chiedeva papà con tono inquisitorio.

«Tutti quelli che ci vogliono: il sedano... la carota... cento grammi di prosciutto, un misurino d'olio e un bicchiere di vino da aggiungere di tanto in tanto che se no si *azzecca* tutto sotto. Due ore di cottura a fuoco lento...»

«Due ore di cottura? Due ore solamente? *Ih, che bella schifezza 'e genovese* che fate dalle vostre parti!» esclamava papà. «Sai che ti dico, Albè? Che se tu adesso mi volessi offrire una *genovese* del corso Garibaldi io, con tutta la fame che tengo, non me la mangerei!»

«Come si vede che vicino ai fornelli non sei nessuno!» ribatteva zio Alberto con aria di commiserazione. «La *genovese* non è il ragù che deve cuocere all'infinito: è il colore della cipolla che ti avvisa quand'è il momento che la devi togliere dal fuoco!»

«E quale sarebbe questo colore?»

«L'ambra.»

«Giulia hai sentito?» sghignazzava papà, rivolgendosi a mia madre. «Il colore della *genovese* è l'ambra!»

«E che è l'ambra?» chiedeva mammà.

«È il colore della *genovese*» rispondeva impassibile zio Alberto.

«*Imparatevi* a cucinare!» urlava nel frattempo mio padre,

---

[3] *Gambunciello*: muscolo di basso costo, usato in genere per preparare sughi a base di carne.

diventando improvvisamente serissimo. «Il colore della *genovese* è il manto di monaco!»

«È l'ambra!» rispondevano in coro i miei cugini.

«Nossignore: è il manto di monaco!»

«Una volta al Ponte della Maddalena mi comprai una giacchetta usata color ambra, uguale uguale a come dovrebbe essere la *genovese*» raccontava zio Alberto. «Ebbè, credetemi, io ogni domenica, quando faccio la *genovese*, come prima cosa mi metto la giacchetta, e tanto giro e tanto volto finché la cipolla non mi diventa proprio di quel colore. Per non sbagliare, ogni dieci minuti accosto la manica alla casseruola.»

Tutto quello che c'era di commestibile intorno alla casa era stato già mangiato: frutta, pomodori, carote, cicoria, ravanelli, bacche, carrube e via dicendo. C'era sempre qualcuno che frugava il terreno nella speranza di trovare una patata o una radice dimenticata. Qualche volta con mio cugino, presi dallo sconforto, sperimentavamo nuovi tipi di foglie; magari ne vedevamo una che rassomigliava a una lattuga e ci veniva la voglia di assaggiarla.

«Provala tu.»

«Non ci penso neppure! Ieri, dietro il granaio, ne ho provato una che pareva rughetta e l'ho subito sputata. Adesso tocca a te provare.»

«Se fossimo andati da Liselotte,» sospirava zio Luigi «avremmo mangiato dalla mattina alla sera!»

L'approvvigionamento dei viveri era un problema di non facile soluzione. La villa di donna Rita era un casale isolato e si trovava giusto a metà strada tra due paesi, San Giorgio a Liri e Vallemaio. Nessun uomo, ragazzo o vecchio che fosse, avrebbe mai osato camminare per più di cinque minuti, allo scoperto, lungo la provinciale. Oltre al pericolo delle bombe, infatti, c'era sempre il rischio di essere presi dai tedeschi e deportati in Germania. Malgrado ciò, almeno una volta al mese papà e zio Alberto, inoltrandosi per i campi, raggiungevano i casolari più vicini e tentavano qualche baratto con i contadini: mele e olio contro farina e fagioli. A volte veniva buio e loro non erano ancora tornati.

«Ma dove sono andati?» chiedeva mammà disperandosi.

«Quando sono usciti hanno detto che andavano alla vecchia Mola.»

«Alla vecchia Mola? E dove sta la vecchia Mola?»

«Non sta molto lontano, è sulla strada di Vallemaio: prendendo il sentiero dietro il bosco, saranno al massimo due o tre chilometri. Ha detto il Balilla che là ci sta un contadino che ha una grossa riserva di farina e che accetta in cambio solo sugna.»

«E a noi la sugna chi ce la dà?»

«Ce la dà Gioacchino *'o Purcaro*: lui scambia sugna contro olio, però abita proprio vicino al campo tedesco.»

«Madonna mia, scansali tu!»

Di tanto in tanto qualcuno usciva sull'aia nella speranza di vederli apparire nel buio.

Solo a Cassino ho visto il buio. Oggi non credo che la cosa sia più possibile: c'è sempre un chiarore, il riflesso di una parete bianca o il riverbero di una città in lontananza che impedisce di vedere il buio. Quando invece ci si trova immersi nel buio vero non si vede niente, ma niente di niente, nemmeno le mani, neanche se uno se le porta davanti agli occhi per cercare di scorgerne almeno i contorni. A Cassino, ho passato molte notti in attesa di mio padre e più che aguzzare la vista, tendevo l'orecchio: sapevo che mi sarebbe apparso davanti, a meno di venti centimetri di distanza, come un fantasma che si materializzi all'improvviso. Non appena sentivo uno struscio, un rumore qualsiasi, gridavo «Papà, sei tu?», e il silenzio che veniva fuori come risposta mi sembrava ancora più nero del

buio in cui mi trovavo. Potrà sembrare incredibile, ma
quando si ha molta fame il primo pensiero che viene alla
mente è questo: «E se papà non torna, io stasera che
mangio?».

Una sera in cui avevamo più fame del solito, zio Luigi ci
raccontò la storia di quando fu assediato dalle truppe di
Hailé Selassié.

«Eravamo arrivati alla periferia di Addis Abeba e davanti
a noi c'era una grossa villa in stile inglese, con le finestre
sprangate, che stonava con tutto il resto del panorama, fatto
di baracche e di capanne di fango. Il duca di Bergamo mi
fece chiamare e mi disse: "Giggì, fammi un piacere: la vedi
quella villa? Prendi tre uomini e vai a vedere dentro chi ci
sta". Presi con me tre soldati napoletani di cui mi potevo
fidare: Gennarino Conte detto *Sette Spiriti*, Eduardo Esposito, un marcantonio alto due metri, e Totonno Albanese, *'o
Pizzaiuolo* di Porta Nolana, che proprio in quella missione si
sarebbe guadagnato il grado di caporale. Le strade erano
deserte. Camminavamo in fila indiana: Esposito in avanscoperta e io dietro a tutti per proteggere la ritirata. Quando
improvvisamente cominciarono ad arrivare negri da tutte le
parti: spari, frecce, pallottole, grida selvagge, un'ira di Dio.
Io però non mi persi di coraggio: con un calcio sfondai una
porta e ci barricammo all'interno della villa rispondendo al
fuoco. Contemporaneamente anche il reggimento veniva
attaccato e il duca di Bergamo, per non farsi accerchiare, fu
costretto a ritirarsi fino ad Addis Alem. Basta: restammo
chiusi in quella casa tre giorni e tre notti senza niente da bere
e da mangiare. Fortunatamente il secondo giorno venne a
piovere e riuscimmo a farci una piccola scorta d'acqua,
allungando fuori dalle finestre un vaso da fiori. Ma per il
mangiare non sapevamo proprio come fare, quando a me
venne un'idea.»

«Che idea?» chiedemmo noi ragazzi, come sempre affascinati dai racconti di guerra di zio Luigi.

«La casa dove avevamo trovato riparo era una casa di gente ricca: con ogni probabilità doveva essere appartenuta a una famiglia inglese scappata all'inizio della guerra. C'erano mobili, specchi, lampadari, ma non c'era niente da mangiare. A un certo punto io venni colpito dalla bellezza dei parati. Me li ricordo come se fosse adesso: erano parati rossi e gialli a strisce verticali. Allora chiesi a *Sette Spiriti*: "Gennarì, come si attaccano le carte da parati?". "Con la colla" rispose lui. "E la colla come si fa?" chiesi ancora io. "Con la farina." Non fece in tempo a dire "farina" che già stavamo staccando tutti i parati della casa. Con le baionette, piano piano, grattammo la colla che stava dietro la carta, poi Totonno *'o Pizzaiuolo* impastò la polvere con l'acqua e riuscì a fare delle pizzette che vi assicuro, tenuto conto della situazione, non erano niente male. Il giorno dopo arrivò il duca di Bergamo e ci liberò a tutti quanti.»

Un applauso siglò la fine del racconto di zio Luigi, dopo di che non potemmo fare a meno di dare uno sguardo interessato ai parati del soggiorno: erano carte color verde pisello con fiorellini gialli. In quel momento non era possibile ripetere l'esperimento di Addis Abeba: donna Rita stava seduta al centro della stanza, come un carabiniere, e non avrebbe mai permesso che noi le mangiassimo la casa. Io e Geggè comunque ci lanciammo uno sguardo d'intesa: quella notte stessa avremmo assaggiato i parati.

Scendemmo all'una e cominciammo pazientemente a staccare il parato dietro lo specchio del buffet in modo che l'indomani donna Rita non si sarebbe accorta di nulla. Raccogliemmo la colla essiccata (la «farina») in una padella e dopo aver fatto un impasto con l'acqua, poggiammo il tutto sul fuoco del camino. I risultati furono pessimi: delle due l'una: o le carte da parati di donna Rita non erano state attaccate con colla di farina, o zio Luigi come al solito ci aveva raccontato una grandissima palla.

«Senza un filino di pomodoro non si può giudicare» cercò di difendersi lui. «Adesso che mi ricordo, quella volta, ad Addis Abeba, Totonno *'o Pizzaiuolo* aveva trovato in cucina una vecchia scatola di pelati.»

Non essendoci negozi a portata di mano, oltre al mangiare ci mancavano tanti altri generi di prima necessità: le scarpe per esempio erano un problema di difficile soluzione, soprattutto per noi giovani. Dai tredici ai quindici anni il piede di un ragazzo cresce alla velocità di uno o due centimetri l'anno, ragione per cui dopo sei mesi avevamo tutti problemi di scarpe. Ci venne in aiuto, come sempre, zio Alberto che inventò per noi «la scarpa con la prolunga posteriore», un'invenzione, disse, che non appena tornato a Napoli avrebbe brevettato su tutto il territorio nazionale. Prolungava la suola, dietro il calcagno, con una mezzaluna di legno accuratamente profilata e aggiungeva un pezzo di pelle alla tomaia, dopo di che con la cromatina e la tintura di iodio raccordava il colore.

Sempre in materia di scarpe, il giorno del mio compleanno zio Luigi mi regalò un bellissimo paio di scarpe bianche e marrone, troppo strette per lui e ancora troppo grandi per me.

«Queste scarpe hanno "visto",» mi comunicò solennemente, come se si trattasse di un'investitura, «cerca di essere degno del loro passato!»

Ed ecco quello che avevano «visto» le scarpe: un giorno zio Luigi stava passeggiando con il suo calessino *military* e con la cavalla Josephine lungo il viale che porta alla reggia di Caserta, quando scorse sul ciglio della strada un'automobile in panne e una signora in attesa: era Anna Fougez, la donna più bella del mondo e, secondo le malelingue, l'amante di Umberto di Savoia. Zio Luigi, elegantissimo nel suo abito primaverile (giacca *pied-de-poule* con spacchetti laterali, paglietta color crema e scarpe bianche e marrone), s'inchinò alla dama e offrì i suoi servigi per accompagnarla dovunque lei avesse voluto. Il viaggio fu brevissimo (la Fougez era diretta alla reggia dove l'aspettava il Principe in persona) ma sufficiente a dare inizio a un'affettuosa amicizia. Il giorno dopo lo zio, dopo essere passato dal negozio del nonno e aver prelevato l'intero incasso della giornata, le mandò un fascio di rose rosse in camerino, al Politeama, e le lasciò un biglietto firmandosi «Colui che Cupido colpì sulla via di Caserta».

Zio Luigi non si vantò mai di essere stato l'amante della Fougez: il suo motto era «Il gentiluomo gode e tace». Una volta però, mentre stava guardando una foto del Principe Umberto, gli sentimmo mormorare: «In un certo senso è come se fossimo parenti».

Un bel giorno eravamo (si fa per dire) a pranzo, quando si aprì la porta d'ingresso ed entrarono un tenente medico e due sottufficiali tedeschi. I tre militari, senza presentarsi o chiederci nulla, cominciarono a parlare animatamente tra loro, indicando ora l'uno ora l'altro angolo del soggiorno. A un certo punto il tenente si mise a misurare in lungo e in largo la stanza, urlando *ein zwei drei*, e tutto questo senza nemmeno degnarci di uno sguardo. Sembrava quasi che noi non ci fossimo, o che loro fossero entrati per recitare una commedia.

Tutta la famiglia mi guardò sperando che almeno io, nella mia qualità di studente di tedesco, avessi capito qualcosa.

«Che dicono?» mi chiese papà.

«Non lo so,» risposi «ho capito solo "uno, due e tre", per il resto niente. Avrei bisogno del vocabolario.»

150 *Vita di Luciano De Crescenzo*

«*Mannaggia 'a miseria!*» imprecò mio padre. «Ma può essere che quando si tratta di una cosa importante, *tu nun capisce mai niente!* Dico io: ma il tedesco a scuola l'hai studiato, sì o no?»

«Sì papà, l'ho studiato: però ho studiato il tedesco di pace, non quello di guerra.»

«Tutti soldi buttati!» continuò a imprecare papà, pensando ai libri di tedesco che aveva comprato. «Un pover'uomo va in miseria per farli studiare e questi sono i risultati!»

«Io non so nemmeno una parola di tedesco,» comunicò zio Alberto «però ho capito che questi vogliono mettere un ospedale qua dentro.»

«Un ospedale? Qua dentro? E noi dove andiamo?»

«Non lo so: bisognerebbe chiederlo a loro.»

«Lucià,» mi ordinò subito papà «chiedi al comandante dove dobbiamo andare noi.»

Mi alzai da tavola e andai a prendere il vocabolario in camera mia. Mi preparai con calma la frase (me la scrissi anche su un foglietto) e poi la lessi al tenente medico.

«*Bitte Kamerad, wenn machen hier Krankenhaus, meine Familie wo gehen?*»[4]

«Niente preoccupaziooone» rispose il tenente in italiano, allungando a dismisura l'ultima «o» di preoccupazione. «Voi andare secondo piano e noi fare spitale primo piano, *ja?*»

Dopo di che dette un ordine secco a un paio di soldati e questi sollevarono il nostro tavolo da pranzo per portarlo al piano superiore. Nessuno di noi si mosse: restammo immobili, seduti uno di fronte all'altro, intorno a un tavolo che non c'era più, come tanti imbecilli.

Prima di sera il nostro soggiorno era diventato una corsia

[4] Alla lettera: «Scusi, camerata, se fare qui ospedale, mia famiglia dove andare?».

di ospedale con dodici lettini, la camera di donna Rita una sala operatoria e la cameretta mia e di Geggè un deposito di medicinali. Ebbi modo di vedere da vicino la tanto decantata efficienza tedesca. Ognuno aveva un compito e lo portava a termine con la massima concentrazione possibile: era tutto un incrociarsi di ordini, un battere di tacchi, un andirivieni di soldati che si muovevano con destrezza e determinazione.

A fine serata ci ritrovammo tutti al secondo piano, un po' avviliti per l'improvvisa riduzione di spazio, ma nello stesso tempo molto più tranquilli perché sulle nostre teste, ovvero sul tetto della villa, campeggiava un'enorme croce rossa che sicuramente ci avrebbe protetto dagli attacchi aerei degli alleati.

Chi sostiene che ci si abitua alla vista del sangue non sa quello che dice: finché durò l'ospedale da campo svenni con regolarità due volte la settimana. Morti sfracellati, arti amputati, urla di dolore dei soldati e chi più ne ha più ne metta: in pratica tutto il campionario degli orrori che può offrire una guerra. La mattina non mi azzardavo ad andare al pozzo per non correre il rischio di trovarmi davanti i feriti appena scaricati dalle autoambulanze.

In compenso la situazione alimentare migliorò di colpo: le nostre domestiche Rosa, Carolina e Antonietta furono temporaneamente cedute all'ospedale come lavandaie e, grazie ai loro servigi, ottenemmo abbondanti razioni di patate e una distribuzione quotidiana di pane nero. Noi d'altra parte, da bravi napoletani con secoli di dominazioni straniere alle spalle, ci arruffianammo subito il grande capo, il tenente Ross, e riuscimmo a procurarci anche il sale, lo zucchero e altri generi di prima necessità.

Ross era davvero un personaggio singolare: un qualcosa a metà tra il militare e il ladro di professione. Di tanto in tanto se ne usciva in macchina per poi tornare dopo un paio d'ore con la camionetta piena di quadri, di candelabri e di altri oggetti di arredamento. Questo accadeva nel tardo pomeriggio, quando noi eravamo sull'aia a prendere il fresco. Ovviamente nessuno aveva il coraggio di dirgli nulla, ma lui cercava lo stesso di giustificarsi: «Casa evacuata! Tutto preso in casa evacuata!».

E noi di rimando, facendo ruotare le dita in aria, come si usa a Napoli quando si vuole mimare il furto, ripetevamo in coro: «Evacuata? *E bravo 'o duttore*: l'ha presa in una casa evacuata!».

Il bello fu che a un certo punto il dottor Ross associò il nostro gesto alla parola «evacuata», e da quel momento era lui stesso a farlo spontaneamente, per meglio sottolineare il fatto che non aveva rubato, bensì che si era limitato a raccogliere un oggetto che comunque sarebbe andato perduto. Scendeva dall'auto con una cornice d'argento o con una statuetta e, sempre facendo il caratteristico gesto con le mani, annunziava: «Casa evacuata! Tutto preso in casa evacuata!».

E noi a ridere fino alle lacrime.

Di tanto in tanto il dottor Ross, più brevemente detto *'o Mariuolo*, veniva invitato a pranzo. Ovviamente il cibo lo portava lui, limitandoci noi solo a cucinarlo. Il giorno del suo compleanno gli facemmo anche una torta con un barattolo di ciliegie sotto spirito, da lui stesso «trovato» in una casa evacuata.

Quella sera Ross si lasciò andare: bevve un'intera bottiglia di Lambrusco e alla fine del pranzo volle cantare in nostro onore «Sul mare luccica l'astro d'argento». Tutti applaudirono tranne zio Alberto che invece più passava il tempo e più si rabbuiava in volto.

«Che è successo Albè?» gli chiese a un certo punto mio padre.

«Niente,» rispose lui «dopo te lo dico.»

Andato via Ross, zio Alberto convocò il consiglio di famiglia.

«Avete visto?»

«Che cosa?»

«Come guardava!»

«Chi?»

«*'O Mariuolo.*»

«Che guardava?»

«La cucina americana!»

«E con questo?»

«Quello ha deciso: la vuole!»

«Ma no, Albè, sarà stata una tua impressione...»

«No, no, quello la vuole!» insisté zio Alberto abbassando di colpo la voce per paura di essere sentito. «Io non l'ho perso d'occhio un istante: a un certo punto si è bloccato davanti a uno dei pensili, poi lo ha aperto e lo ha richiuso, quasi come se lo volesse provare.»

«Tu che dici?!» esclamò mammà molto impressionata.

«In quel momento ho capito il suo piano,» continuò zio Alberto «è stato come se gli avessi letto nel pensiero. Lui stava pensando: "Questa cucina prima o poi me la faccio!". Ora io non so come e non so quando, ma quel fetente un giorno riuscirà a cacciarci via da qui e subito dopo si prenderà la cucina e se la porterà in Germania. Quando qualcuno gli chiederà "Ma dove ha trovato una cucina così bella?", lui risponderà: "In una casa evacuata". Ebbene, vi giuro sulla testa dei miei figli: io muoio, ma la cucina non gliela faccio prendere!»

Quella notte zio Alberto non andò a dormire: prelevò di continuo mattoni dalle stalle e «murò viva» la cucina americana in fondo a un corridoio cieco del secondo piano. Poi, per meglio mimetizzare i mattoni, mischiò tra loro tutti i barattoli di vernice che era riuscito a trovare nella villa e ridipinse l'intero corridoio. Ne venne fuori un colore al di là del bene e del male da tutti definito «cacchetta», tranne che da zio Alberto, per il quale invece era «un bellissimo ambra, leggermente più scuro della *genovese*». E, siccome aveva passato la notte insonne, nessuno ebbe il coraggio di contraddirlo.

L'allarme dato da zio Alberto non cadde nel vuoto: bisognava difendersi dalla cleptomania del dottor Ross.

«Ma quale cleptomania» protestava zio Alberto. «*Chillo è proprio mariuolo!* Pensate che ieri sera l'ho visto tornare a casa con una bambola: ma come, dico io, tu ti vai a fregare pure i giocattoli! Un domani c'è una ragazzina che torna al suo paese, cerca la bambola e non la trova: e chi se l'è presa? Un *mariuolo* di tenente medico per portarsela in Germania! Ma se si crede che io gli faccio prendere la cucina americana si sbaglia di grosso: a costo di farmi fucilare abbracciato al lavello, non gliela faccio toccare!»

«Secondo me,» disse mia mamma «qui dobbiamo nascondere i gioielli.»

«E pure l'argenteria» aggiunse zia Anita.

«E dove la nascondiamo tutta questa roba?»

«La seppelliamo in giardino,» propose Geggè «questa notte io e Luciano l'andiamo a seppellire.»

«Voi, se non volete *abbuscare*, non andate da nessuna parte!» minacciò come al solito mio padre. «Se c'è da seppellire qualcosa ci pensiamo io e Alberto.»

«E io che faccio: niente?» chiese zio Luigi.

«Se proprio vuoi collaborare,» rispose caustico papà «va' a dormire.»

«Per vostra regola» replicò zio Luigi, giustamente offeso, «io in Africa sono stato definito "la migliore zappa dell'Impero". Quando si doveva scavare una trincea, se non c'ero io non si cominciava nemmeno.»

La cassetta di legno, con tutti i gioielli e l'argenteria delle due famiglie, fu sepolta sul retro a circa trenta metri dalle mura della villa, tra due alberi di carrube. La zona era ben visibile da una delle nostre finestre. Per i primi giorni mammà e zia Anita fecero i turni di guardia per non perderla di vista.

Il 1° dicembre ci fu una battaglia terribile. La 5ª armata aveva scatenato l'offensiva contro Monte Camino. Guardando verso sud, sembrava che tutto il mondo stesse bruciando in un unico falò: non solo la casa, ma anche il terreno circostante tremava per le esplosioni delle bombe e per il fuoco di sbarramento della contraerea. A poche centinaia di metri dalla nostra villa i tedeschi avevano piazzato un *Nebelwerfel*, un mortaio capace di sparare sei bombe contemporaneamente. Era un'arma micidiale che quando sparava emetteva una specie di lamento prolungato, quasi umano, carico di disperazione. In genere lo si ascoltava con angoscia progressiva e non si riusciva a pensare ad altro finché lo scoppio finale non c'informava che tutte le sei bombe erano giunte a destinazione.

Alle spalle della villa, verso Sant'Apollinare, un bosco si era incendiato. Il cielo era attraversato da proiettili traccianti e aveva perso il suo blu naturale per assumere i riflessi rosso-giallastri dell'incendio. Le silhouette degli alberi più vicini si stagliavano sullo sfondo incandescente delle fiamme come tanti scheletri usciti dalle tombe. La scena era nello stesso tempo affascinante e spaventosa: noi stessi non sapevamo se rintanarci in casa a pregare, come avevano fatto le donne fin dalla prima granata, o restare alla finestra a goderci lo spettacolo. E pensare che eravamo andati via da Napoli per sfuggire ai bombardamenti!

La mattina dopo la villa rigurgitava di feriti, la maggior parte di essi giaceva all'aperto in attesa di trovare una sistemazione migliore. Urla, lamenti, imprecazioni in tedesco, autoambulanze che andavano e venivano e che ogni volta scaricavano poveracci in barella. Tutte le nostre stanze, letti compresi, furono requisite. Noi tentammo un'ultima disperata difesa per farci assegnare almeno la soffitta, ma non ci fu nulla da fare: due soldati ci dissero «*Raus*» e ci cacciarono sull'aia in malo modo. Per maggiore disgrazia, avendo un urgente bisogno di tavoli chirurgici, requisirono anche il nostro tavolo da pranzo. Qui però mi rendo conto di non aver mai parlato dei Buoni del Tesoro.

Sia papà che zio Alberto, con la solita proverbiale lungimiranza, allo scoppio della guerra avevano investito tutti i loro risparmi in Buoni del Tesoro. Oggi francamente non saprei dire a quanto ammontassero questi risparmi, giacché i nostri genitori erano molto prudenti quando si parlava di soldi e certe informazioni non le davano nemmeno ai figli legittimi. Penso comunque che tra tutti e due non dovessero possedere più di trecentomila lire. La notte in cui seppellimmo l'argenteria, in un primo momento si pensò di nascondere anche i Buoni del Tesoro, poi qualcuno disse che l'umidità del terreno li avrebbe distrutti, e così alla fine decidemmo di attaccarli con delle puntine da disegno sotto il tavolo da pranzo.

Mangiare con trecentomila lire degli anni Quaranta attaccate sotto il tavolo non era facile: non appena uno di noi faceva cadere un po' d'acqua o, peggio ancora, una goccia di vino, veniva subito redarguito.

«*Mannaggia 'a miseria!*» urlava papà. «Lo vuoi capire o no che ci stanno i Buoni del Tesoro? *Che vuò fa'? 'E vuò fa' addeventà 'na chiavica?*»[5]

«Zitto che quello sente!» avvisava zio Alberto, indicando la porta.

---

[5] Che vuoi fare? Li vuoi far diventare una schifezza?

Secondo mio zio, il dottor Ross non aveva altro da fare dalla mattina alla sera che origliare alle nostre porte per sentire cosa avrebbe potuto rubare. Ciò detto, vedere il tavolo e i relativi Buoni del Tesoro sparire dentro la sala operatoria ci buttò nel più nero sconforto: anche se non li avessero mai scoperti, ce li avrebbero restituiti tutti intrisi di sangue. Altro che goccia di vino!

A questo punto, contro il parere di zio Alberto che sosteneva la tesi «Meglio insanguinati che in mano *a chillu mariuolo*», la famiglia decise di parlare francamente con il dottor Ross e di dirgli come stavano le cose. Fattosi coraggio, papà cercò di far capire a Ross il problema dei Buoni del Tesoro, ma purtroppo quel giorno il tenente aveva altri guai per la testa; non volle nemmeno starlo a sentire e, dal momento che mio padre insisteva, lo prese a calci davanti a tutti noi.

Finimmo in diciassette in una stalla: io, mio padre e mia madre, mia sorella, zio Alberto e zia Anita, i miei cugini Geggè, Giovanna e Fernanda, la nonna, zia Maria (quella sorda), zio Luigi (*'o Pallista*), donna Rita e le quattro domestiche, Rosa, Antonietta, Carolina e Rocchetta. Avevamo un solo stanzone per dormire, senza finestre, con una porta di ingresso sgangherata e uno sportellino alto venti centimetri per fare entrare eventuali galline che nessuno ebbe mai il bene di vedere. Tutto il resto, sala da pranzo, soggiorno, cucina e servizi igienici, era all'aperto.

Per fortuna riuscimmo a farci restituire i materassi. Li appoggiammo per terra, sulla paglia, uno accanto all'altro come se fossero stati una moquette. Se di notte qualcuno doveva uscire per un bisogno, era costretto a scavalcare tutti gli altri. Zio Alberto lo faceva intonando l'aria «Vado fuori all'aperto», dal finale della *Cavalleria rusticana*. Zio Luigi, per via del sonnambulismo, ebbe il posto proprio accanto alla porta. Dopo una settimana recuperammo anche il tavolo da pranzo con tutti i Buoni del Tesoro ancora attaccati. Secondo papà erano diventati *'na vera chiavica*, ma non per questo avevano perso la loro validità, essendo ancora leggibili i numeri di serie.

La restituzione dei Buoni del Tesoro non diminuì l'odio che nutrivo per Ross. Non riuscivo a cancellare dalla mente l'immagine di mio padre che veniva preso a calci da quel farabutto! Più ci pensavo e più mi convincevo che era mio dovere uccidere Ross. Per fortuna c'era Geggè a tenermi buono.

«Lo ammazziamo,» mi diceva «ma non subito: adesso sarebbe troppo pericoloso per tutta la famiglia. Lo faremo non appena finisce la guerra, quando nessuno potrà più sospettare di noi: andiamo in Germania tutti e due e lo facciamo fuori.»

«Giura che verrai!»

«Ti do la mia parola d'onore! Un giorno tu mi dirai "Geggè andiamo!", e io verrò.»

Oggi mio cugino è il prefetto di Verona: quasi quasi mi verrebbe la voglia di ricordargli il giuramento. Mi risponderebbe che Ross, con ogni probabilità, è già morto per conto suo, e che a ripensarci bene non era poi nemmeno tanto cattivo.

L'elaborazione del piano per eliminare Ross, seppure solo in teoria, andò avanti per un pezzo. Pur di conoscere il suo indirizzo in Germania, ritornammo a fare gli amiconi con lui e un bel giorno il *Mariuolo* ci dette nome, cognome, indirizzo e numero telefonico: era di Stoccarda.

Nel periodo della stalla conobbi Gebart, un soldato di Kiel di appena diciotto anni che parlava benissimo l'italiano. Si presentò una mattina di pioggia con una tavoletta di cioccolato tra le mani. Nessuno di noi ragazzi aveva più mangiato dolci da quando avevamo abbandonato San Giorgio: quello tedesco poi era un cioccolato particolare: quasi nero, durissimo, e di una bontà eccezionale. Facemmo subito amicizia e Gebart venne sempre più spesso. Quando riusciva ad avere un'ora di libertà correva da noi e ogni volta ci portava qualcosa di buono: latte condensato, aringhe amburghesi, tonno, patate, e perfino un gioco da tavolo, il *Mensch argere dich nicht* (identico all'italiano «Non t'arrabbiare»). In genere era Gebart a vincere e ogni volta si scusava dicendo «*Es tut mir leid*» («Mi dispiace»). Lui giurava di essere venuto da noi per far pratica d'italiano, ma era chiaro che gli piaceva sentirsi in famiglia.

Rocchetta, la cameriera di donna Rita, malgrado i suoi settant'anni, era sempre in giro per la campagna. Della guerra e delle alleanze non voleva sapere nulla: per lei tedeschi, napoletani o americani erano tutti stranieri. Il suo motto era: «Prima ve ne andate e meglio ci sentiamo».

Un giorno ritornò da una delle sue passeggiate misteriose con una faccia da furbetta, come se avesse visto qualcosa di molto divertente: poiché la sapevamo incapace di ridere, era come se sghignazzasse.

«Rocchetta,» le chiese donna Rita «che è successo?»

«*Niente è succieso.*»

«Rocchetta!» insisté donna Rita. «Dimmi subito quello che hai visto!»

Ma per tutta la giornata Rocchetta non volle aprir bocca. Poi, verso sera, quando donna Rita minacciò di non farla entrare nella stalla, si decise a parlare.

«*La cascetta de li napulitane sta p'ascì da fore de lu terreno.*»

Ecco che cosa era successo: la buca dei rifiuti dell'ospedale ogni giorno veniva ricoperta e riscavata un metro più in là. Cammina cammina, era arrivata accanto al nostro tesoro e uno degli angoli metallici della cassetta già faceva capolino dal terreno. Insomma la cassetta con tutti i beni di famiglia stava per uscire allo scoperto e quella cretina di Rocchetta non aveva detto niente a nessuno per un'intera giornata!

«Stanotte io e Luciano l'andiamo a prendere e la portiamo qua» propose come sempre Geggè e come sempre fu messo a tacere.

Furono invece zio Alberto e zio Luigi a incaricarsi del recupero, mentre papà attirava su di sé l'attenzione della sentinella chiedendogli continuamente una sigaretta. Alla fine tutto andò per il meglio e la cassetta fu riportata nella stalla. A quel punto sorse il problema di nasconderla di nuovo.

«Mettiamo l'argenteria nei materassi.»

«Sì, così facciamo la seconda edizione dei Buoni del Tesoro. Uno di questi giorni arrivano un centinaio di feriti, i tedeschi requisiscono i materassi e noi perdiamo materassi e argenteria!»

«E allora seppelliamola nella mangiatoia delle vacche.»

«No, lì no!» gridò donna Rita.

«E perché no?»

«Perché lì ci stanno i fucili del colonnello.»

Ci sentimmo un brivido scendere giù dalla schiena: avevamo vissuto per sei mesi con un arsenale sotto i piedi! Per molto meno intere famiglie erano state fucilate sul posto dai tedeschi: bisognava assolutamente far sparire i fucili! Cominciammo col tirarli fuori: erano due doppiette perfettamente oliate e pronte all'uso.

«No,» ci supplicava donna Rita quasi in lacrime «non li potete buttare! Senza il permesso di mio figlio i fucili non si toccano!»

«E io vi denuncio ai tedeschi,» urlava papà «così fucilano solo voi!»

Ma anche per buttarli si correvano dei rischi. Come uscire con due fucili sotto il braccio? Fossero state pistole lo avremmo potuto pure fare, ma due fucili? D'altra parte anche consegnarli ai tedeschi presentava i suoi rischi. E se Ross avesse approfittato di una situazione del genere per farci fuori?

Ci salvò Gebart: mentre noi discutevamo su come eliminare i fucili, lui li prese e li buttò nel pozzo.

I bombardamenti divennero sempre più frequenti: cominciarono a girare voci che i tedeschi stavano per abbandonare Cassino. Una sera Gebart ci portò a conoscere il suo comandante, il capitano Frei. Anche Frei era una brava persona: ci disse che il fronte si era ancora di più avvicinato e che con ogni probabilità sarebbero venuti dei camion tedeschi a prelevarci per portarci in un luogo più sicuro.

«E questo sarebbe un guaio terribile: noi non vediamo l'ora che arrivino gli americani!» esclamò zio Alberto, dimenticandosi che stava parlando con un ufficiale tedesco. «Solo così potremo tornare a Napoli.»

«Lucià,» mi ordinò papà «di' al capitano che noi non ci vogliamo muovere!»

«*Herr Kapitän...*» cominciai io, senza riuscire ad aggiungere altro.

Ma Gebart fece lui da interprete e il capitano rispose: «D'accordo: quando verranno i soldati a prelevarvi, mandatemi Antonietta al campo. Io la farò riaccompagnare da un motociclista e dirò che non potete essere trasferiti perché siete necessari ai servizi di lavanderia».

IX
Roma città aperta

Il giorno più lungo della nostra guerra fu quello in cui vennero a prenderci i tedeschi per portarci via.

La mattina cominciò nel peggiore dei modi: verso le sette arrivarono due contadini di Sant'Apollinare con Rocchetta tutta insanguinata: era stata colpita dalla scheggia di una granata americana mentre gironzolava per la campagna. Ce la scaricarono davanti alla stalla come un sacchetto a perdere e scapparono via, senza nemmeno raccontarci come e dove l'avevano trovata. Forti delle nostre amicizie, riuscimmo a farla ricoverare nell'ospedale tedesco.

«Domani tutto finito» sentenziò Ross con un sorriso ambiguo, e nessuno di noi capì se con quel «tutto finito» voleva alludere alla sua morte o alla sua guarigione.

Nel frattempo Rocchetta delirava: scambiò Ross per il prete che doveva darle l'estrema unzione.

«*Padre, me voglio cunfessà.*»

«Zitta vecchia donna: noi adesso fare te piccola operaziooone.»

«*Nunn'è overo ca nun tene sore chella là: la tene 'na sora, la tene e se chiamme Annarosa. Solo ca Annarosa avette nu figlio cu lu barbiere e essa la cacciaie via da la casa.*»[1]

---

[1] Non è vero che non ha sorelle quella là: ce l'ha una sorella, ce l'ha e si chiama Annarosa. Solo che Annarosa ebbe un figlio da un barbiere e lei la cacciò di casa.

Donna Rita non disse nulla, come se le frasi di Rocchetta fossero state un vaniloquio privo di senso, ma non si staccò da lei nemmeno un minuto e Ross le dette il permesso di entrare in corsia per poterla assistere.

Il secondo evento tragico fu l'arrivo di una camionetta tedesca con un ufficiale e due soldati. L'ufficiale, elegantissimo, dall'aria vagamente gay, ci comunicò in perfetto italiano che di lì a poco saremmo stati prelevati da un camion per essere trasportati in un luogo più sicuro.

«Ogni persona può portare con sé solo due chili di bagaglio. Niente mobili e niente materassi, prego. Chiunque resterà in zona di operazioni correrà il rischio di essere sparato a vista. Avete un'ora di tempo per prepararvi.»

Noi non ci preoccupammo più di tanto: avevamo la promessa del capitano Frei che saremmo rimasti a Cassino. Mandammo subito Antonietta al comando perché avvisasse il capitano e quella fu l'ultima volta che la vedemmo. Tutte le ipotesi sulla sua sparizione sono possibili: che sia rimasta uccisa lungo la strada, che non abbia avuto il coraggio di tornare per paura di essere deportata, che sia rimasta davvero nell'accampamento tedesco come lavandaia o qualcos'altro. All'epoca Antonietta aveva quattordici anni ed era anche molto carina. Oggi ne dovrebbe avere circa sessanta. Nel caso fosse viva, spero che legga questo libro e mi scriva per raccontarmi cosa diavolo fece quel giorno.

Puntuali come sempre invece arrivarono i tedeschi. Noi cercammo in ogni modo di spiegare loro che lavoravamo alle dipendenze del capitano Frei, e che di lì a qualche minuto sarebbe arrivato un motociclista dal comando con il permesso di restare, ma non ci fu nulla da fare. «*Schnell, schnell*» continuavano a gridare i soldati e ci spingevano verso il camion con i fucili. Chi più di tutti fece resistenza fu mia madre: si aggrappò a una sedia e non si volle muovere.

«Voi ci volete portare via perché poi vi volete rubare tutta la roba nostra!» urlava mia madre. «*Mariuoli* che non siete altro!» E nel caso non l'avessero capita faceva continuamente il gesto tanto caro al dottor Ross.

A questo punto un sergente scese giù dal camion e dette un ordine secco e violento. Due soldati sollevarono mia madre di peso, con tutta la sedia, e la piazzarono davanti al muro della stalla. Lei, poverina, sulle prime non capì che stava per essere fucilata e continuò a strepitare.

«*Mariuoli, mariuoli!*»

I due militari, dopo essere arretrati una decina di passi, puntarono le armi contro mamma e avrebbero certo sparato se zia Maria, urlando come una disperata, non fosse andata a tappare le bocche dei loro fucili con un cuscino. Grida, pianti e svenimenti. Gli ordini si confondevano con le proteste dei contadini stipati sui camion: chi s'inginocchiava davanti al sergente, chi scappava, chi imprecava contro di noi, chi malediceva i soldati, e chi cercava di convincere mia madre a nascondersi tra quelli che erano già saliti.

A un certo punto anche i tedeschi non ci capirono più niente, finché, come Dio volle, salimmo tutti sui camion, tranne donna Rita e Rocchetta che, trovandosi ancora in ospedale, riuscirono a restare a San Giorgio.

È inutile precisare che nel trambusto potemmo portare con noi poco o niente: avevamo inutilmente sprecato l'ora concessa dai tedeschi e nessuno ci volle dare una proroga. Riuscimmo solo a riempire due piccole valigie con l'argenteria e i gioielli della cassetta, oltre naturalmente ai famosi Buoni del Tesoro che ormai, dopo le note traversie, papà e zio Alberto tenevano sempre addosso, giorno e notte, come se fossero maglie di lana. Io, un attimo prima di montare sul camion, riuscii ad afferrare le scarpe bianche e marrone che mi aveva regalato zio Luigi.

Si fece buio. Arrivammo in un paese chiamato Isoletta

Liri e come di prammatica finimmo in una stalla, questa volta però senza un materasso su cui poterci sdraiare. Ormai la nostra vita rassomigliava sempre di più a quella degli animali. Io e Geggè uscimmo all'aperto per procurarci un po' di paglia: si gelava. Mentre strappavo i fili dai covoni, sentivo il freddo che mi feriva le mani: la paglia era ghiacciata e tagliente come lame di coltello. Quando tornai nella stalla avevo le mani tutte insanguinate. Non riuscii a chiudere occhio, un po' per il freddo e un po' per i pidocchi che già da un paio di mesi mi tormentavano.

I pidocchi in guerra sono un guaio inevitabile. In genere durante la giornata non si facevano sentire. Era verso sera che si scatenavano tutti insieme come degli assatanati: evidentemente avevano, anche loro, un orario dei pasti. Strinsi un patto di mutuo soccorso con mio cugino Geggè: lui cercava i miei e io i suoi.

Il mattino successivo, all'alba, eravamo di nuovo sui camion in direzione nord: ci allontanavamo da Cassino, dagli americani e dalla nostra Napoli. Durante il viaggio fummo attaccati da un caccia americano che scese in picchiata per poterci mitragliare più da vicino: una sventagliata e via. Quando nei film di guerra ci sono scene di mitragliamento a bassa quota, si vedono gli occupanti dei camion balzare giù come acrobati e nascondersi tra i cespugli ai bordi della strada. Noi invece restammo immobili come statue di cera e l'unica cosa che riuscimmo a fare fu di pregare a voce più alta. D'altra parte cosa avremmo potuto fare? Con una nonna di quasi novant'anni che per scendere dal camion ci metteva dieci minuti, con zia Maria che per farle capire che era in corso un attacco aereo dovevamo ripeterglielo tre o quattro volte, e con zio Luigi che sceglieva i momenti peggiori per raccontare la sua ennesima avventura sull'idrovolante del duca di Bergamo, ogni spostamento sarebbe stato troppo lento per risultare efficace.

Qualche ora più tardi arrivammo a Ferentino, un paese nei pressi di Frosinone, e fummo internati in una scuola: quindici persone per aula. Noi di famiglia eravamo quattordici, ragione per cui fummo costretti a ospitare come quindicesimo un vecchio di Pignataro Interamna.

«Io, un albergo così brutto non l'ho visto mai!» disse la nonna e infatti non era un albergo, ma un campo di concentramento.

Si dormiva per terra su uno strato di coperte e si facevano i bisogni in gabinetti luridi e puzzolenti, dove già entrare significava ripetere l'impresa di Ercole nelle stalle di Augia. Finimmo col rimpiangere la nostra casupola di campagna con i materassi affiancati e i servizi all'aperto.

All'interno del campo ricominciò più forte che mai il problema della fame: tranne il pane a cassetta, che in verità era molto buono, non c'era niente altro che fosse mangiabile. La minestra era schifosa e ci veniva data una volta al giorno, in un unico pentolone e con un solo cucchiaio, il tutto sempre per quindici persone, vecchio di Pignataro compreso: si mangiava a turno una cucchiaiata a testa. Zio Alberto era solito annunziare l'intruglio dicendo «Il pranzo è servito», ma dopo qualche giorno anche a lui passò la voglia di scherzare.

«Bisognerebbe protestare con il direttore» disse mia nonna e noi protestammo con il tedesco che era di guardia al nostro piano.

Si chiamava Alfred ed era una specie di magliaro napoletano nato per errore a Monaco di Baviera: parlava correttamente l'italiano e aveva uno spiccato senso degli affari. In cambio di due cucchiaini d'argento spostò il contadino di Pignataro Interamna in un'altra aula. Alfred nutriva una vera e propria passione per i cucchiaini d'argento: ogni volta che avevamo bisogno di qualcosa, bastava fissare il prezzo in cucchiaini e lui, il giorno dopo, ci accontentava. Pare che la sua famiglia fosse composta da dodici persone:

padre, madre, quattro figli maschi e sei femmine, motivo per cui sentiva il bisogno assoluto di possedere almeno un servizio per dodici.

La parola «campo di concentramento» evoca immagini spaventose tipo Auschwitz, filo spinato, prigionieri nudi sulla neve e via dicendo. Chiariamo subito che il nostro era semplicemente un centro di raccolta per profughi. La differenza sostanziale stava nel fatto che mentre negli *Stalag* tedeschi venivano internati ebrei e prigionieri politici, nel nostro c'erano solo contadini ciociari, la cui unica colpa era stata quella di essersi fatti trovare in zona di guerra. Ciò non toglie che, come in tutti i campi di concentramento, non si poteva uscire e si soffriva il freddo, la fame e la mancanza di pulizia.

Chi ha vissuto in una comunità (collegio o carcere fa lo stesso) sa benissimo che cosa sono le «voci». Basta che una qualsiasi persona dica (a volte solo pensi) «Secondo me qua si corre il rischio di finire in Germania», perché il giorno dopo la notizia diventi ufficiale. Quello che stupisce è la dovizia di particolari e la velocità con cui si diffonde la «voce»: a che ora parte il treno per il Brennero, da che età a che età si viene ritenuti abili al lavoro, qual è la destinazione finale e via dicendo. Anche da noi accadde qualcosa del genere: secondo le «voci», tutti gli uomini sani tra i quindici e i sessantacinque anni sarebbero stati deportati in Germania nella zona di Singelfinden entro la fine del mese. Erano in pericolo tutti gli uomini della famiglia: io, Geggè, papà, zio Alberto e zio Luigi.

Solo Alfred avrebbe potuto farci scappare. Purtroppo due mesi di campo avevano esaurito la nostra scorta di cucchiaini e, anche se a malincuore, bisognava mettere mano ai candelabri. Gli parlammo a cuore aperto. «Facci scappare,» gli dicemmo «e ti daremo tutto quello che vuoi.» Alfred rispose che se lo faceva era solo perché ci voleva bene, però aveva una famiglia numerosa ed era costretto a chiederci qualcosa in cambio: pretese le due valigette con tutti i gioielli e l'argenteria.

In genere la fuga da un campo di concentramento prevede almeno un reticolato da recidere; nel nostro caso invece uscimmo dal portone principale come tanti signori e sotto lo sguardo benevolo delle sentinelle. L'unico inconveniente fu di dover attendere, per ben due settimane, che Alfred, il Collezionista di Cucchiaini, fosse di turno al portone principale. Una notte venne lui stesso a darci la buona notizia: «*Schnell, schnell*, uscire tutti». Poi, quando eravamo già sulle scale, ci fece tornare precipitosamente indietro perché aveva cambiato idea e non si sentiva più sicuro del suo compagno di guardia.

«È un nazista,» ci confidò con aria di disgusto «non ci si può fidare.»

Durante il secondo tentativo non ci furono problemi: Alfred ci volle abbracciare tutti, uno per uno, un po' per affetto e un po' per controllare che non avessimo addosso altra argenteria. E noi ci avviammo nel buio della notte, felici come tanti ragazzini che avevano appena marinato la scuola.

Ora mettetevi nei nostri panni: sono le due di notte, fa freddo, vi trovate in un paese di cui non sapete nulla, avete con voi una nonna novantenne e siete appena usciti da un campo di concentramento. Dove andate? La prima idea che ci venne fu di andare in chiesa.

Il parroco fece di tutto per non farci entrare, prima finse di essere sordo, poi disse che aveva ricevuto l'ordine tassativo dal comando tedesco di non dare ospitalità a nessuno, e infine si arrese e ci sistemò alla meglio in sacrestia. La mattina dopo, però, nel disperato tentativo di scaricarci, convocò in parrocchia le sorelle Ardensi, tre zitelle di mezza età, diversissime tra loro, da noi subito soprannominate: la «Bassa», la «Magra» e la «Donna cannone».

«Volete guadagnarvi il paradiso?» chiese il parroco.

«No,» risposero in coro le tre zitelle «e non vogliamo profughi per casa.»

«Ma questi non sono profughi, sono dei signori: vengono da Napoli, sono quattordici.»

«Quattordici!?» urlò la Bassa. «Preferisco andare all'inferno!»

«Il paradiso, carissima Arminia, non lo si conquista solo con le preghiere: bisogna anche soffrire. Questi poveretti sono scappati da un campo di concentramento: se adesso i tedeschi li riacchiappano, se li portano dritti dritti in Germania e voi quel giorno avrete sulla coscienza quattordici vite umane.»

«Manca solo che ci diciate che pure la guerra è stata colpa nostra!» ribatté con acredine la Magra che era anche la più maldisposta di tutte. «Ma perché queste cose non le andate a chiedere alla signora Caroselli? Eh? Perché non vi conviene! Perché la signora Caroselli tutti i giorni vi dà i soldi per le messe. Glielo dica pure da parte mia alla signora Caroselli [e quando diceva "signora" sottolineava la parola] che non bastano due messe per coprire tutte le sozzerie che fa. Io la tengo d'occhio giorno e notte, e vedo tutto il via vai di tedeschi che entrano ed escono da casa sua! E anche voi, don Vincenzo, non vi vergognate? Prendere i soldi da una puttana!»

«Questi sono tempi difficili» rispose pazientemente don Vincenzo a cui la guerra doveva aver cambiato non poco le idee sul peccato. «Proprio perché la casa della signora Caroselli è frequentata dai tedeschi non è consigliabile che i napoletani vadano a rifugiarsi da lei.»

«Beh,» intervenne la Donna cannone, la più accomodante delle tre sorelle, «se questo è quello che vuole Nostro Signore noi lo facciamo, però sia chiara una cosa: per il mangiare ognuno per sé e Dio per tutti, perché casa nostra non è un albergo.»

Fummo ospiti delle sorelle Ardensi per un paio di mesi. Le tre zitelle possedevano al centro di Ferentino un palazzetto con cantina, soffitta e giardino. Di spazio quindi ce n'era in abbondanza. Il problema numero uno però restava sempre quello del mangiare. Ormai eravamo diventati dei veri e propri barboni: senza una lira in tasca, vestiti di stracci, con i pidocchi addosso e privi di qualsiasi merce di scambio. Via via avevamo visto sparire le mele, l'olio, i cucchiaini d'argento, i candelabri, i gioielli di famiglia e ogni altro bene si potesse barattare. Ci restavano solo i Buoni del Tesoro, ma quelli non li voleva nessuno.

Un giorno papà incontrò un suo compagno di scuola, tale Menichini, dal quale riuscì a farsi fare un prestito, restituibile a Napoli a guerra finita. Nel buttargli questo salvagente Menichini gli passò anche un'informazione preziosa: sulla strada di Fumone c'era un vecchio contadino, improvvisamente impazzito, che dava via per poco o niente caciotte, polli e farina.

La notizia era troppo bella per non andare a verificarla. Papà ne parlò subito a zio Alberto ed entrambi decisero di tentare una spedizione di approvvigionamento. La paura di incontrare i tedeschi del campo era forte, ma ancora più forte era la fame che avevamo accumulato negli ultimi giorni. Oltre ai tedeschi, poi, c'erano le spie locali, ovvero i collaborazionisti: pur di ottenere una decina di scatolette di carne c'era chi non esitava a denunziare perfino i parenti. Ecco perché sulla strada del ritorno, quando incontrarono il Balilla, si sentirono morire: quello lì, lo sapevano tutti, era una spia di mestiere.

«Diamogli i quattro polli e speriamo che non ci denunzi» sussurrò papà.

«Nemmeno se mi porta davanti a un plotone di esecuzione!» replicò zio Alberto che ormai ai polli si era affezionato. «Qui dobbiamo giocare il tutto per tutto.»

Salutarono il Balilla come se niente fosse e gli proposero

un affare. Zio Alberto, a Roma, aveva un figlio che era capitano dei carabinieri: se il Balilla fosse stato capace di rintracciarlo e di fargli avere un nostro messaggio, noi poi lo avremmo ricompensato con un Buono del Tesoro da cinquemila lire.

I giorni successivi passarono nella vana speranza che nostro cugino, il capitano dei carabinieri, ci venisse a salvare. Arrivarono invece i tedeschi.

Era poco dopo mezzogiorno: il quarto e ormai ultimo pollo del contadino di Fumone bolliva nella pentola mentre tutta la famiglia assisteva con devozione alla sua cottura. Sentimmo sbattere con violenza il maniglione al portoncino d'ingresso. Zio Luigi si sporse dalla finestra e subito dopo si ritrasse terrorizzato.

«I tedeschi!»

Giù c'era un camion. In un primo momento ci sembrò lo stesso camion che ci aveva prelevato a San Giorgio a Liri.

Nel frattempo la Magra ci tradiva senza ritegno.

«Stanno tutti sopra, al secondo piano, sono quattordici, sono di Napoli, sono scappati dal liceo. Noi non siamo di Napoli, noi siamo di Ferentino. Noi con quelli lì non abbiamo niente a che vedere: è stato il parroco a ordinarci di prenderli in casa. Io non li volevo fare entrare. È vero Arminia che io non li volevo fare entrare?»

I tedeschi invece non erano venuti per noi: cercavano una certa famiglia Percuoco per portarla a Roma e mostrarono una lettera di convocazione zeppa di timbri e di scritte in tedesco. Avuta la lettera tra le mani, zio Alberto riconobbe subito la calligrafia del figlio, il capitano dei carabinieri. Rinfrancati da questa scoperta, partimmo tutti per la capitale, compreso il pollo che ormai si era cotto e che ci tenne compagnia per tutto il viaggio.

Giunti a Roma ci sbarcarono all'Hotel Boston in via Lombardia, all'epoca chiamato Hotel Aosta per ragioni antiamericane.

«Aspettare qui,» disse uno dei tedeschi «tra poco venire avvocato Percuoco.»

Ci raggruppammo con tutte le nostre carabattole in un angolo della hall. Non osavamo sederci sulle poltrone per paura di sporcare. Solo la nonna, e solo perché aveva novant'anni, si accomodò su una sedia. Dopo una decina di minuti il muoversi della porta girevole attrasse la nostra attenzione: entrarono un uomo di mezza età e una signora in pelliccia. L'uomo nel vederci si bloccò di colpo e ci guardò sbigottito: dovevamo avere un aspetto terribile.

Il primo connotato che distingue il reduce è l'infagottamento, ovvero il mettersi addosso tutto quello che gli riesce di trovare pur di trattenere il calore del corpo. Qualsiasi protezione per il profugo è buona purché faccia spessore: plaid, mantelli, tende o cartoni da imballaggio. Papà era uno dei pochi ad avere ancora un cappotto, anche se poi, sotto il medesimo, portava la giacca del pigiama che aveva indosso il giorno in cui fu prelevato a viva forza a San Giorgio a Liri. Carolina invece, la cameriera di zio Alberto, viveva in pratica come una tartaruga all'interno di una coperta di lana dalla quale fuoriusciva solo con le mani e con la pentola del pollo. Zia Maria indossava un corpetto da zampognaro ottenuto in cambio di un anellino d'oro dopo una trattativa durata quattro giorni e mezzo in campo di concentramento. Zio Luigi era vestito dalla cintola in giù con abiti militari tedeschi e dalla cintola in su con una giacca di tweed acquistata in Inghilterra dove (a sentire lui) aveva vinto il campionato di golf degli emigranti italiani.

Quanto a calzature, invece, stavamo maluccio: mia sorella aveva le scarpe da tennis della divisa da *piccola italiana*, io e Geggè quelle con la prolunga posteriore inventate da zio Alberto, papà un paio di scarponi militari e le due cameriere le *ciocie*, ovvero pezzi rettangolari di suola e di panno che dopo aver avvolto il piede si andavano ad attorcigliare intorno al polpaccio.

Se i clienti dell'Hotel Aosta erano stupiti, noi non lo eravamo di meno: dopo un anno vedevamo di nuovo la luce elettrica, il telefono, l'acqua corrente e tutti quei piccoli miracoli quotidiani che proprio perché quotidiani finiscono col sembrare normali. La cosa che più di tutte mi faceva impressione erano i negozi di alimentari con la merce esposta sulla strada, quasi a portata di mano dei passanti; mi chiedevo come mai la gente non arraffasse tutto quel ben di Dio.

Verso sera chiarimmo il mistero del fantomatico avvocato Percuoco. Mio cugino, Geppino Panetta, non essendosi presentato alle autorità repubblichine, viveva infrattato in Vaticano sotto il nome di Giuseppe Percuoco, e da lì provvedeva a sostenere finanziariamente tutte le famiglie dei carabinieri che non si erano costituiti. Come sia riuscito poi, con queste premesse, a procurarsi un camion tedesco per venirci a prendere a Ferentino è una cosa che non ho mai capito: misteri del doppio gioco o del controspionaggio.

Grazie a lui fummo ospiti dell'Hotel Aosta per quasi un mese (solo pernottamento, senza vitto). Roma era stata dichiarata da poco «città aperta», il che in termini pratici non voleva dire che era aperta a tutti, ma, anzi, che era chiusa a chiunque non fosse residente. E dal momento che noi non lo eravamo, correvamo il rischio, una volta scoperti, di essere sbattuti fuori dai confini del comune. Questa nostra clandestinità tra l'altro non ci consentiva di avere le tessere alimentari indispensabili per la sopravvivenza.

Una sera zio Alberto consegnò alla cucina dell'albergo quattro uova perché ci preparassero una bella frittata.

«Mi raccomando, maestro,» disse allo chef «se avete un po' di farina e ce la aggiungete viene meglio: acquista spessore. Se poi vi avanzasse anche un pezzetto di mozzarella, ve ne saremmo grati per tutta la vita. A proposito, dimenticavo: noi a Napoli la frittata la facciamo aggiungendo una spolveratina di parmigiano. Purtroppo in questo momento la famiglia è sprovvista di qualsiasi tipo di formaggio, ma se la direzione dell'hotel volesse farci un piccolo prestito, ce ne basterebbe appena un velo, una sfumatura, quasi un pensiero, tanto per ricordarci il sapore. L'importante è che la frittata venga bassa in modo da poter essere poi facilmente divisa tra tutti i componenti della famiglia.»

«Ma quanti siete?» chiese lo chef guardando le quattro uova.

«Quattordici.»

Non sempre riuscivamo a procurarci una cena, tanto che i camerieri ogni sera ci chiedevano: «Mangiano i signori, mangiano?».

E quasi sempre noi, con la disperazione negli occhi e un grosso buco nello stomaco, rispondevamo muovendo lentamente il viso in segno di diniego.

La svolta arrivò con le scarpe bianche e marrone. Una mattina, malgrado mi andassero ancora larghe, decisi di indossarle. Zio Luigi, il giorno del mio compleanno, oltre al racconto dell'avventura con la Fougez, mi aveva confidato, in gran segreto, che quelle lì non erano scarpe normali, bensì calzature fatate, tipo lampada di Aladino tanto per intenderci: bastava accarezzarne la tomaia ed esprimere un desiderio per vederlo esaudito nel giro di ventiquattro ore. Io le misi ai piedi e come prima cosa espressi il desiderio di mangiare un piatto di spaghetti col pomodoro. Un minuto dopo Ferruccio, il lift dell'Hotel Aosta, indicando le scarpe, mi disse: «Sono tue?».

«Sì, perché?»

«Perché non ti vanno bene: sono troppo grandi.»

«Tra un paio di anni mi andranno bene.»

«Te le vuoi vendere?»

«Quanto mi dai?»

«Dieci stecche.»

Ferruccio, oltre a fare andare su e giù l'ascensore, vendeva sigarette di contrabbando ai clienti.

«Sì,» rispose mio cugino «te le diamo, tu però ci devi dire dove compri le sigarette perché da questo momento in poi anche noi vogliamo metterci in commercio.»
Nacque così la «Geggè e Luciano srl», una piccola società di compravendita di generi di borsa nera. Grazie all'aiuto di Ferruccio, vendendo e reinvestendo ogni volta il capitale, in breve tempo riuscimmo a mettere da parte un bel gruzzoletto. Compravamo sigarette a San Lorenzo, caciotte a Frascati, olio e sale a Marino e vendevamo la merce ai «signori» dei Parioli, dove nel frattempo eravamo andati ad abitare. Facevamo la spola tra Roma e i Castelli montando su camioncini e altri mezzi di fortuna, sempre più carichi di pacchi e sempre più impegnati. Dopo un po' i nostri pranzi divennero più sostanziosi, e questo grazie al contrabbando e al capitano Panetta, alias avvocato Percuoco, che, oltre all'appartamento, ci aveva procurato anche un congruo numero di false tessere annonarie.

Il pane lo ritiravamo in via Po da un panettiere che non si limitava a vender pane, ma lavorava anche per i carabinieri che non si erano ancora costituiti. Un giorno zio Luigi stava per entrare quando vide una pattuglia fascista irrompere nel negozio con le armi spianate: furono arrestati il panettiere e tutti i clienti che avevano le tessere false. Se fosse arrivato un secondo prima, avrebbero beccato anche lui.

«E pensare» aggiungeva zio Luigi «che proprio mentre stavo uscendo di casa, mi è venuta voglia di fare pipì e sono tornato indietro. Quando si dice: il destino!»

Il 4 giugno arrivarono gli americani: li vidi sfilare uno dietro l'altro, in fila indiana, lungo i marciapiedi di viale Parioli. Il loro passo era strascicato e non aveva nulla di marziale. Abituato a vedere marciare i tedeschi, mi sembrarono una banda di straccioni. Pareva che avessero appena perso una battaglia e che non ne potessero più di fare la guerra. Solo un negro, ricordo, alzò gli occhi verso di me e mi abbagliò con un sorriso. A dir la verità, gli americani me li ero immaginati molto più allegri, ma evidentemente quelli che sfilarono quel giorno per viale Parioli avevano già recitato le scene del trionfo nelle vie del centro e ora erano stanchi.

Con l'arrivo degli americani non commerciammo più caciotte e forme di pecorino, ma solo sigarette americane e di prima qualità: Chesterfield, Camel e Pall Mall. Per caso avevamo conosciuto il numero uno dei fornitori alleati, il sergente Johnny La Rosa, un italo-americano dal viso butterato stranamente somigliante ad Alfred il tedesco, quello dei cucchiaini. (Chissà che non fossero parenti?) Johnny ci voleva bene e ci dava tutte le stecche che gli chiedevamo senza nemmeno pretendere i soldi in anticipo.

«*Si me fai fesso,*» mi diceva in *bruccolino* «*hai fennuto 'e fa' 'o businisse.*»

Durante l'occupazione alleata il contrabbando di sigarette funzionava pressappoco così: gli americani vendevano la merce ai grossisti e solo a camion interi, i grossisti la distribuivano ai *capiparanza* che a loro volta la consegnavano ai dettaglianti. Noi, acquistando direttamente da Johnny, scavalcavamo due livelli e guadagnavamo il doppio. Perfino Ferruccio dell'Hotel Aosta, ridiventato Boston, comprava da noi.

Nel frattempo i nostri genitori progettavano il Grande Ritorno. Non era facile trovare un mezzo che ci portasse a Napoli: le strade, oltre a essere piene di buche, erano infestate da banditi e disertori che rapinavano chiunque si trovasse senza scorta. Alla fine rimediammo un camioncino guidato da un nano.

«È un po' basso ma è un ottimo guidatore,» disse papà «e poi è l'unico che ci ha chiesto un prezzo onesto.»

Il nano guidava il furgoncino in piedi, come si fa con i motoscafi. Da seduto non riusciva ad arrivare con i piedi alla frizione. Per maggiore precauzione zio Luigi volle sedersi accanto a lui.

«Avete la patente?» chiese il nano.

«No,» rispose zio Luigi «ma ho conosciuto Tazio Nuvolari e ho capito quel tanto che basta per non morire. Dove sta il freno?»

«È questo qui, perché?» rispose l'autista.

«Perché alla prima difficoltà lo premo.»

Il nano aveva un socio non guidatore, una specie di guardia del corpo. Era uno con i baffetti, tipo John Carradine, con un fucile tra le mani, che non parlava mai e guardava continuamente la strada. Durante il viaggio ci fu spiegato che tutti i camion avevano un guardiano armato, altrimenti non sarebbero mai arrivati a destinazione.

Per coprire i duecento chilometri che ci separavano da Napoli ci mettemmo quasi due giorni. Le strade erano un susseguirsi ininterrotto di buche e di crateri scavati dalle bombe alleate. Ogni buca ci obbligava a fermare il camioncino, a scendere a terra, a studiare il dislivello e a stabilire quale fosse il modo migliore per superarla. Infine, non essendoci più ponti o cavalcavia funzionanti, anche un ruscello diventava un ostacolo insormontabile.

Percorremmo la statale 6 e arrivammo nei pressi di Cassino, quasi alla confluenza del Rapido con il Garigliano. Lo spettacolo che ci si parò davanti aveva dell'incredibile: per la prima volta ci rendemmo conto che se fossimo rimasti a San Giorgio a Liri saremmo morti tutti irrimediabilmente. L'Abbazia non esisteva più: in una sola notte centoquarantasei fortezze volanti e trecentocinquanta tonnellate di bombe l'avevano cancellata dal paesaggio. Sarà stata l'impressione, ma anche la montagnella, a forza di essere bombardata, ci sembrava un po' più bassa di come l'avevamo lasciata.

Essendo interrotta la statale, fummo costretti a scendere lungo il Garigliano nella speranza di trovare un traghetto. All'altezza di Sant'Ambrogio, zio Alberto disse che non potevamo andarcene senza fare un salto a San Giorgio e vedere che fine aveva fatto donna Rita. Nessuno si oppose ma tutti capimmo che il brav'uomo sperava di ritrovare ancora in vita la sua cucina americana. Malgrado le proteste del nano (che chiese subito un sovrapprezzo per la deviazione), puntammo verso la nostra ex casa. Dopo un paio di chilometri però fummo costretti a rinunziare all'impresa: davanti a noi c'era solo un'enorme distesa d'acqua. I tedeschi, in un estremo tentativo di bloccare l'avanzata degli alleati, avevano allagato la valle del Liri deviando un tratto del Rapido. Per quanti sforzi facessimo, non riuscimmo a vedere nessun mobile di cucina galleggiare sulle acque.

Chiedemmo informazioni a una coppia di contadini.

«Conoscete donna Rita?»

«*Donna Rita chi? La mamma de lu culunnello che è ghiuto in Russia?*»

«Sì, proprio lei. Come sta?»

«*Sta bene: la povera Rucchetta è morta ma lei sta bene. È morta pure la signora napulitana che stava cu essa: l'hanno fucilate 'e tedeschi pecché nun vuleva salì su lu camionne!*»

«E sapete dove possiamo trovare il traghetto?» chiese il nano, del tutto indifferente alla sorte della signora fucilata.

«*Duvete ire a Sant'Andrea, subito passato Vallemaio, e poi da lì ve facite tutta la strada fino al bivio de Suio: primma o doppo lu truvate.*»

E invece non lo trovammo. Essendosi fatto buio, decidemmo di fermarci in un paese chiamato San Lorenzo. Riuscimmo a trovare un posto dove dormire e anche una casa di contadini dove mangiare. Durante il pranzo io e

Geggè raccontammo al nano come eravamo diventati amici di Johnny La Rosa.

«Come avete detto che si chiama?» ci chiese il nano.

«Johnny La Rosa: è di Brooklyn.»

«Tiene la faccia vaiolosa e un taglio sotto al mento?»

«Sì, è proprio lui.»

«E allora avete corso un brutto rischio!» commentò il nano con una smorfia di disgusto. «La Rosa è uno dei peggiori gangster venuti dall'America.»

«Ma se con noi è sempre stato gentile!»

«Sì, gentile!» ironizzò il nano. «Il guaio è che siete ancora troppo ingenui: vi fidate di tutti! Io invece mi fido solo di questa.» E ci mostrò una Luger, una rivoltella gigantesca, quasi più lunga di lui.

Un po' impressionati, gli raccontammo dei nostri traffici e di come, grazie a Johnny, eravamo entrati in affari.

«Adesso» conclusi io «stiamo per cominciare un altro business. Lo stesso Johnny ce l'ha consigliato.»

«Di che si tratta?» chiese il nano pistolero.

«Prima di partire ci siamo informati sui prezzi che si fanno a Napoli e abbiamo scoperto che il massimo guadagno lo si può fare con i cerini.»

«Con i cerini?»

«Sì: a Napoli i cerini costano tre volte più che a Roma.»

«E allora?»

«E allora abbiamo investito tutto il capitale in cerini: ne abbiamo comprato tre casse... come arriviamo a Napoli sappiamo già a chi li dobbiamo portare: Johnny ci ha dato pure l'indirizzo del compratore.»

La mattina dopo i cerini non c'erano più. Malgrado i turni di guardia del nano e del socio, «ignoti» ladri avevano rubato le tre casse dal camioncino. È inutile precisare che sapevamo benissimo chi ci aveva fregato i cerini, ma date le circostanze i nostri genitori ci ordinarono di non protestare più di tanto. Il nano maledetto cantò per tutto il viaggio.

Passammo il fiume nei pressi di Minturno e verso sera arrivammo a Napoli.

La città era a terra: via Marina era rasa al suolo, tutti gli edifici di via Foria, da piazza Carlo III a piazza Cavour, erano stati segnati dalle bombe, i famosi vetri della Galleria giacevano a terra, in frantumi, e un po' dovunque, dal borgo Sant'Antonio Abate a piazza Mercato, dai Cristallini ai Ponti Rossi, non si vedevano che macerie e distruzione. Il nostro palazzo di Santa Lucia non aveva più le sue belle scale di marmo con le ringhiere floreali in ferro battuto. Una scaletta di legno, costruita alla meno peggio, si inerpicava nel baratro del vano scale e consentiva agli inquilini di raggiungere gli appartamenti dei piani superiori. Il negozio di piazza dei Martiri era esattamente al centro di un'orrenda spaccatura che divideva in due tronconi il Palazzo Partanna: ci dissero che la bomba era scoppiata proprio nel negozio e che alcuni dei nostri guanti, con il marchio *Made in Neaples*, erano stati trovati addirittura in Villa Comunale, a più di un chilometro di distanza dallo scoppio. La casa del Vomero, quella dove eravamo soliti passare la villeggiatura, era stata occupata dagli inglesi e non ci fu consentito di andare a visitarla. Mia madre si mise a piangere.

X
La IBM

Le mie esperienze in IBM non meriterebbero un capitolo a parte se non fossero state vissute in una città come Napoli e consumate in un'epoca così remota da poter essere considerata la preistoria dell'informatica. Negli anni Sessanta la tecnica delle schede perforate, appena giunta dagli Stati Uniti come lieta novella, e la tendenza dei miei concittadini a non fidarsi mai troppo delle macchine erano realtà inconciliabili: tanto precisa e razionale la prima, quanto approssimativa e umorale la seconda: da una parte la logica binaria del *sì* e del *no*, e dall'altra il mondo possibilista del *quasi* e del *pressappoco*. Con ciò non voglio dire che i napoletani fossero negati per l'informatica (anzi, proprio tra loro ho conosciuto alcuni dei più brillanti esperti di software), ma che tra un modo di concepire la vita, basato sui rapporti umani, e i computer sia sempre intercorsa una sana e reciproca diffidenza. Non parlerò quindi tanto di IBM, quanto di scontro frontale tra due mentalità antitetiche.

Grazie alla raccomandazione di un amico di famiglia, il cavaliere de Vico, varcai la soglia misteriosa della IBM Italia nel settembre del 1960, quando i computer erano ancora di là da venire. A quei tempi la sede napoletana era poco più di un negozio: due vani in via Partenope, qualche scrivania di metallo e un paio di manifesti in vetrina. In compenso però il dinamismo dell'ambiente era così alto che, appena entrato, ebbi subito la sensazione di essere a un passo dalla direzione di filiale. Dentro di me non potei fare a meno di pensare: «Qui siamo solo in quattro: un capo, due *salesmen* (o venditori) e un amministrativo. Basta far fuori il capo e i due *salesmen* e sono bello che diventato direttore». Le cose però non andarono come avevo previsto: la filiale divenne subito molto grande, e, quando giunse la tanto sospirata promozione, fui nominato solo *marketing manager*, ovvero vicedirettore. Ne fui contento lo stesso, anche perché mi fu assicurato che nel giro di due anni (al massimo tre) sarei diventato anch'io direttore di filiale. E infatti dopo altri tre anni di trincea fui promosso: nel frattempo però era nato un livello gerarchico intermedio, quello di *director data processing*, che non ho mai capito bene cosa volesse dire ma che comunque era il grado immediatamente inferiore a quello di direttore di filiale. Insomma, per farla breve, ho lavorato in IBM quasi venti anni e non sono mai riuscito a diventare direttore di filiale, finché un bel giorno non ce l'ho fatta più e ho dato le dimissioni. Peccato, perché proprio l'anno in cui sono andato via ero a un passo dalla direzione di filiale!

Ovviamente la decisione fu molto criticata dai miei familiari e in particolare da mia sorella.

«Gesù, Gesù,» diceva la poverina «ma come: uno lascia uno stipendio di due milioni al mese! E per fare che cosa, poi? Per diventare scrittore! E chi vuoi che se li compri i libri di uno che ragiona come te?»

«Clara, scusami, ma mi annoiavo troppo!»

«E già, perché quelli che vanno a lavorare, secondo te, lo fanno per divertirsi!» replicava lei. «Sei ingrato e incosciente: sputi nel piatto dove mangi! Adesso però stammi a sentire: tu domani mattina, bello bello, te ne vai dal direttore e gli dici così: "Dottò, mi sono sbagliato: ritiro le dimissioni".»

«Ma se ho già incassato la liquidazione!»

«E gliela restituisci tale e quale a come te la sei pigliata. Poi ti butti per terra, ti metti a piangere e dici: "Perdonatemi, dottò, sono un imbecille".»

Non era solo mia sorella a pensarla in questo modo: chi più, chi meno, un po' tutti nel quartiere mi sconsigliarono di lasciare il posto sicuro. Pasqualino, per esempio, il mio barbiere a domicilio, fece di tutto per dissuadermi.

«Io non ho capito una cosa,» mi diceva «ma non potete fare tutti e due i lavori insieme, l'ingegnere e lo scrittore? Io pure, nel mio piccolo, trovandomi a girare per le case, ne approfitto per fare di tanto in tanto l'idraulico a tempo perso.»

«Il fatto è che sento il bisogno di staccarmi dal mio vecchio lavoro...»

«E chi vi dice il contrario? Ingegnè, sentite il consiglio di uno che vi vuole bene: voi dovete semplicemente fingere di lavorare. Vi faccio un esempio: voi la mattina andate in IBM, vi sedete dietro la scrivania e intanto pensate a quello che dovete scrivere la sera. Poi: un giorno vi date malato, un altro ve lo prendete di ferie e un altro ancora ve ne andate in trasferta per motivi di lavoro, e intanto scrivete dove capita capita. Quello, il mestiere di scrittore, questo tiene di bello: che uno lo può fare dove vuole lui, basta avere una penna e un poco di carta a portata di mano. Teoricamente parlando, voi potreste scrivere anche in ufficio... perfino in presenza del vostro diretto superiore... Non appena vi scappa una idea, basta che dite: "Dottò, con permesso...", e vi andate a chiudere in gabinetto. Lui come fa a controllare che invece di un bisogno corporale, vi siete chiuso dentro per scrivere un libro?»

La verità è che i napoletani non avevano mai ben capito che diavolo facessi alla IBM. Per loro l'informatica era una delle solite «americanate», un qualcosa di assolutamente inutile che le ditte adottavano solo per darsi importanza.

Mia madre, per esempio, era convinta che noi imbrogliassimo i clienti a forza di chiacchiere. «Io mi rendo conto che devi fare carriera,» mi diceva «però ricordati che rubare è peccato.» Non aveva alcuna simpatia per la IBM e ne storpiava continuamente il nome: un giorno la sentii dire a un'amica: «Mio figlio è ingegnere alla UPIM».

Ecco qui di seguito una conversazione che ebbi con mia madre il giorno in cui le comunicai di essere stato assunto.

«Mammà, ho trovato il posto!»

«Bravo *chillu figlio mio*, bravo! Quello è stato Sant'Antonio che ti ha aiutato!»

«No, mammà, veramente è stato il cavalier De Vico...»

«Non fare il miscredente: se ti dico che è stato Sant'Antonio, è stato Sant'Antonio! Io sono anni che prego a Sant'Antonio. Ogni giorno gli dicevo: Sant'Antò, quello il ragazzo sta studiando perché si vuole laureare, ma la paura mia è che dopo laureato non se lo piglia nessuno. E dentro di me pensavo: era meglio se lo facevamo ragioniere, che così si trovava un bel posto in banca, una cosa tranquilla, e non ci pensavamo più. Le banche sono più sicure, anche perché loro i soldi già ce l'hanno e non possono trovare scuse per gli stipendi quando arriva la fine del mese. E invece Sant'Antonio ci ha fatto la grazia. Ora tu figlio mio devi subito andarti a fare una bella comunione di ringraziamento. Hai capito? E racconta: dove l'hai trovato il posto?»

«Alla IBM.»

«Ma è una cosa sicura?» chiese mia madre, rabbuiandosi. «Io non l'ho mai sentita nominare!»

«Giulia,» intervenne zia Maria «tu non capisci proprio niente! Oggi gli elettrodomestici sono molto di moda: c'è stato il marito della signora Sparano che con un negozietto di tre soldi si è fatto un patrimonio. Tengono la Mercedes, la governante e vanno tutti gli anni a Ischia in villeggiatura.»

«Ma che elettrodomestici!» protestai io. «Io lavoro con
i calcolatori elettronici! Mammà, i calcolatori elettronici
sono macchine potentissime e perfettissime, capaci di fare
migliaia di operazioni in un solo secondo!»

«Tu ti dovessi far male?»

«Ma quale male, mammà! Io lavoro nel settore commerciale, quello che si occupa della vendita e del noleggio dei
calcolatori.»

«Figlio mio, io non ti voglio scoraggiare, ma chi vuoi che
se li compra questi calcolatori: noi a Napoli non abbiamo
niente da calcolare: *ce murimmo 'e famme*!»

«Tutte le grandi aziende hanno bisogno di calcolatori.»

«Ma per fare cosa?»

«Come per fare cosa? Ma per la contabilità aziendale,
no?! Pensa a tutti i conti che debbono fare le banche, agli
stipendi, alle paghe degli operai, alle assicurazioni, al Comune di Napoli...»

«Ma ti pare che a Napoli, con tutti i disoccupati che ci
sono, quelli si vanno a comprare le macchine tue! Secondo
me, queste società sai che faranno? Chiameranno i disoccupati e gli daranno una moltiplicazione a testa, e quelli in
quattro e quattro otto ti fanno tutti i conti. Secondo me era
meglio se t'*impizzavi* nel Banco di Napoli!»

Quando fui promosso Prm, ovvero *Public relations man*,
spiegare a mia madre cosa fossero le pubbliche relazioni fu
una impresa disperata. E non poteva essere altrimenti, dal
momento che a Napoli le pubbliche relazioni vengono fatte
da tutti, spontaneamente, e senza alcun compenso.

«Io non ho capito,» diceva lei «tu la mattina alle nove
apri il negozio e che fai?»

«Mammà, io non debbo aprire nessun negozio: debbo
solo facilitare e rendere migliori i contatti della mia società
col mondo esterno. Hai capito?»

«No.»

«Giulia, stammi a sentire,» intervenne come sempre zia

Maria «quello il ragazzo [il ragazzo ero io] deve essere gentile e cortese con la gente...»

«E lo pagano?»

«Certo che lo pagano! Anzi lo pagano di più!» esclamò zia Maria, felice di mostrarsi aggiornata. «Le pubbliche relazioni sono una trovata americana! Il ragazzo non appena riesce ad acchiappare qualcuno non lo molla più, lo piglia per un braccio e gli dice: "Quanto siete bello, andiamoci a prendere un caffè...".»

«E quanti caffè si deve prendere in un giorno?» chiese mia madre con apprensione.

«Lui i caffè non se li beve: fa finta di berseli, ma poi li lascia sul bancone del bar. L'importante è che sia sempre gentile e cortese con le persone.»

«Ma perché, prima non era gentile e cortese?»

«Sì, ma adesso esagera!»

Spesso e volentieri anche mia madre esagerava nelle pubbliche relazioni e io glielo dicevo sempre.

«Mammà, fammi un favore: quando telefona la mia segretaria, non la tenere mezz'ora al telefono: o ci sono o non ci sono! Tu rispondi buongiorno, buonasera e basta!»

«Ma quella è sempre tanto gentile!» protestava lei. «Come faccio a mettere giù il telefono!»

«Sì, ma una cosa è essere gentili e un'altra mettere in piazza i fatti personali!» precisavo io. «L'altro giorno sei andata a raccontarle che avevo mangiato i peperoni ripieni.»

«E le ho anche detto che io ti avevo avvisato che ti avrebbero fatto male...»

«... così com'era successo tanti anni fa quando mi mangiai tutto l'uovo di cioccolato che mi aveva portato zia Maria.»

«E che c'è di male?»

«C'è di male poi, che quando arrivo in ufficio, debbo finire di raccontare tutto quello che hai cominciato a raccontare tu.»

Era come parlare al vento: lei considerava il personale della IBM un'estensione naturale della famiglia. Voleva sapere tutto di tutti.

«Il tuo direttore è sposato?»

«Sì.»

«E quanti figli tiene?»

«Due.»

«E va d'accordo con la moglie?»

«Mammà, santiddio: io che ne so se va d'accordo con la moglie! Ma che te ne importa?»

«No... era solo per sapere...»

Una mattina, quand'ero già *marketing manager*, le dissi: «Tra poco viene a prendermi l'ingegner Bruschini. Io non sono ancora pronto. Fallo accomodare in salotto e, mi raccomando mammà, non fare come il tuo solito: non metterti a parlare con lui. Guarda che Bruschini è milanese e poi è un mio collaboratore».

«E che vuol dire che è un collaboratore?»

«Vuol dire che dipende da Luciano» la informò tempestivamente zia Maria. «Luciano dice "Fai questo", e quello subito lo fa.»

«Tu comandi a lui!» esclamò mia madre al colmo dello stupore. «Tu comandi a un ingegnere!»

Il risultato fu che quando andai a prelevare Bruschini in salotto, lo trovai seduto in poltrona, con mammà e zia Maria, una a destra e una a sinistra, che cercavano di fargli mangiare per forza uno zabaione.

«Ingegnè, non fate complimenti: la mattina le uova fanno bene!» gli stava dicendo mia madre. «E poi dovete assaggiare pure i biscotti. Questi qui sono fatti in casa: a Luciano quelli che si vendono nei negozi non piacciono.»

«Grazie signora,» rispondeva Bruschini alquanto imbarazzato «ma in verità la mattina non sono abituato a mangiare...»

«... e fate male, perché dovreste sempre tenere qualcosa di sostanzioso nello stomaco» replicò mammà. «Diceva la buonanima di mio marito che per vivere bene bisogna mangiare poco e spesso.»

«Mamma,» tagliai corto io «lascia in pace l'ingegnere che dobbiamo andar via.»

«Lucià, fammi un piacere,» replicò lei, senza darsi per vinta «dal momento che sei tu quello che comanda, comanda all'ingegnere di mangiarsi lo zabaione.»

Uscimmo di corsa, ma proprio mentre stavamo per entrare in macchina, lei mi lanciò l'ultima raccomandazione dalla finestra del secondo piano: «*Fatte 'a croce!!!*».

1960: tempi duri per i venditori d'informatica! Non facevamo in tempo a dire «Sono un rappresentante» che già ci avevano sbattuto la porta in faccia. Chiedere un appuntamento per telefono era fatica sprecata, presentarsi direttamente all'ingresso peggio ancora: i custodi ci fiutavano a un miglio di distanza. «Grazie,» dicevano «ma l'articolo non c'interessa: ne abbiamo i magazzini pieni.» A quel punto bisognava inventarsi qualcosa per salire ai piani superiori. A volte bastava un nome qualsiasi da dare in pasto al portiere. Anche l'amicizia del cugino di una segretaria poteva essere determinante.

Un giorno decidemmo di espugnare una compagnia di assicurazioni che estendeva i suoi interessi a tutto il Sud Italia, ma come al solito ci mancavano gli agganci necessari, quand'ecco la fortuna venirci incontro facendoci conoscere un geometra che era il fratello del direttore amministrativo della compagnia.

La mattina dopo, io e il dottor Imperiali, muniti di una regolare lettera di presentazione, eravamo tutti e due nella sala d'ingresso del cliente, fieramente intenzionati a vendere un centro meccanografico.

Il portiere aveva un viso triste, con gli occhi sporgenti e le orecchie a sventola. Era identico a Peter Lorre, l'attore che nel film *M* di Fritz Lang interpretava il mostro di Düsseldorf.

«Ci annunzi per cortesia al dottor Rinaldi.»

«Motivo della visita?»

«Consegnargli una lettera.»

«Ho capito: volete perdere tempo.»

«Come dice, scusi?»

«Ho detto» ribadì Peter Lorre, ma questa volta a voce più alta, «che volete perdere tempo! Correggetemi se sbaglio: voi siete dei rappresentanti...»

«Sissignore: siamo della IBM.»

«E allora ascoltate il consiglio di uno che lavora in questa ditta da quindici anni: qualunque cosa siete venuti a vendere, è inutile che l'andate a raccontare a Rinaldi!» Poi, avvicinandosi con fare complice: «Detto inter nos, qua Rinaldi non conta niente: io al vostro posto andrei dal Presidente!».

«Sì,» replicammo anche noi a voce più bassa «ma noi abbiamo una lettera di presentazione per Rinaldi.»

«Questo l'ho capito ma, secondo voi, Rinaldi, dopo che ha letto la lettera, che fa?»

«Non lo so... penso che ci starà a sentire.»

«E dopo che vi ha sentito, anche se si tratta di spostare solo una sedia, deve sempre chiedere il parere del Presidente.»

«E allora?»

«E allora andate direttamente dal Presidente.»

«Veramente... non vorremmo disturbare...»

«Ma quale disturbo: quello è una persona squisita!»

«Beh, allora... se così stanno le cose... se ci vuole annunziare alla segretaria del Presidente...»

«*Azze: pe' fforza vulite perdere tiempo!*» esclamò spazientito Peter Lorre. «Se vi ho detto che "potete andare" vuol dire che "potete andare": basta che bussate alla porta del Presidente: lui dice "avanti" e voi entrate.»

«Sì... ma il Presidente non sa chi siamo.»

«Lo sa, lo sa,» ci rassicurò il portiere «anche perché, mentre voi salite, io l'avverto col telefono interno.»

Increduli per quello che ci stava accadendo, salimmo al primo piano e attraversammo un lungo salone scarsamente illuminato, passando tra due file d'impiegati curvi su vecchie e antiquate macchine calcolatrici.

Guardandoli, non potemmo fare a meno di provare un senso di colpa: con noi sarebbe arrivato il progresso e con il progresso il licenziamento di quei poveracci. Qualcuno di loro, forse, si sarebbe pure potuto salvare, sempre che gli avessero fatto seguire i corsi base, ma tutti gli altri che fine avrebbero fatto?

Con il cuore già assillato dai rimorsi arrivammo al cospetto del Presidente, il Grand'ufficiale dottor De Bellis.

«Ebbene ragazzi,» esordì sorridendo il Grand'ufficiale «a cosa debbo il piacere?»

«Veda dottore,» provai a dire io (e la voce mi tremò per l'emozione) «noi qui a Napoli rappresentiamo la IBM. Lei, immagino, già conosce la IBM?»

«Beh, a essere sincero, in questo momento non ricordo...»

«In pratica, noi ci occupiamo di meccanografia.»

«Ho capito,» c'interruppe lui come se già sapesse tutto «ed è proprio di meccanografia che noi oggi sentiamo il bisogno. Mi fa piacere vedere ragazzi così giovani, e lasciatemi dire, non senza una punta di orgoglio, napoletani, proiettarsi coraggiosamente verso il futuro. Attenzione però,» e qui il Presidente, cambiando tono, mi fissò per un attimo negli occhi, il che mi comunicò un improvviso stato di ansia «che cosa ne sapete voi di tecniche assicurative?»

«Di questo non si deve preoccupare,» gli risposi «la IBM Italia ha già molti clienti nel settore assicurativo e i nostri specialisti sono a sua totale disposizione.»

«Avete letto il mio libro, *Le Assicurazioni in Italia dal Regno delle Due Sicilie ai giorni nostri?*»

«Veramente...»

«Pasquale!» gridò il Presidente.

E Pasquale, ovvero Peter Lorre, si materializzò davanti a noi, stringendo tra le mani due enormi volumi rilegati in similpelle.

«Pasquale, consegna due libri ai signori ingegneri.» Poi, alzandosi in piedi per congedarci: «Ragazzi mi raccomando: leggete con attenzione! Dopo di che potremo vederci una seconda volta per parlare più a lungo di problemi assicurativi. Adesso però scusatemi, ma ho un consiglio di amministrazione che mi attende».

«Dodicimila lire, seimila cadauno» bisbigliò Peter Lorre. «Sarebbero diciottomila ma il Presidente mi ha fatto cenno che posso farvi lo sconto.»

Ripercorremmo in disordine e senza speranza quello stesso salone che pochi minuti prima avevamo attraversato con orgogliosa sicurezza. I futuri licenziati ci accompagnarono con un sorrisino ironico fino all'uscita. Uno di loro mormorò: «Ne hanno acchiappati altri due!».

No, non era facile vendere calcolatori negli anni Sessanta, e anche quando ci si riusciva, non era detto che il nuovo cliente avrebbe poi pagato regolarmente. Leader indiscusso dei morosi di tutto il mondo era l'ATAN, l'azienda dei trasporti urbani della città di Napoli. Il suo motto era: «*A pagà e a murì quando più tardi è possibile!*». Per colpa dell'ATAN io ero al primo posto dei *salesmen* che non erano stati capaci di farsi pagare dal cliente, e questa macchia pregiudicava seriamente la mia carriera.

Il Servizio crediti IBM è una struttura pressoché perfetta. Non appena un cliente accumula un debito pari a tre mesi di canone, scatta un piano d'interventi progressivi: visita del rappresentante e primo sollecito, quindi visita del direttore di filiale e secondo sollecito, visita del direttore di Distretto e terzo sollecito e così via, sempre salendo di grado e sempre aumentando la durezza del sollecito. Nel caso ATAN si era arrivati nientemeno che a mister Castaldi, il Direttore Generale della IBM Italia.

Quando mi dissero chi avrei dovuto accompagnare dal cliente mi tremarono le gambe: per un *salesman* di periferia, con soli due anni di zona, un Direttore Generale non è un essere umano come tutti gli altri, è un Puro Spirito, un'Entità Teologica sulla quale non è permesso nemmeno alzare lo sguardo. Ero anche un po' preoccupato per via della lingua: pur sapendo che Castaldi era un italo-americano, che figura avrei fatto se mi avesse chiesto qualcosa in inglese? Tra l'altro il mio direttore di filiale era assente per malattia, ragione per cui avrei dovuto fronteggiarlo tutto da solo.

Mister Castaldi arrivò direttamente davanti alla sede dell'ATAN, in una limousine nera, lunga almeno tre volte la mia 500. L'autista si precipitò ad aprirgli la portiera e lui scese tranquillo dalla macchina, mai sospettando cosa gli sarebbe accaduto di lì a pochi minuti. Era di media statura, capelli bianchi, forse troppo grassottello per essere un alto dirigente IBM. Io mi produssi in un inchino alla Alberto Sordi, nel senso che mi piegai in due come un compasso, e sempre così restando gli feci strada fino al portone. Ora non ricordo bene cosa farfugliai, certo è che lui rispose *thank you* e mi seguì docile come una pecorella.

In quegli anni la Direzione Generale dell'ATAN aveva gli uffici in un vecchio palazzo umbertino di piazza Bovio. Io e mister Castaldi attraversammo il cortile e ci dirigemmo verso l'ascensore esterno che, come quasi tutti gli ascensori

napoletani, funzionava solo inserendo dieci lire nell'appo-
sita gettoniera. Quel giorno però le dieci lire non furono
sufficienti a farci arrivare a destinazione giacché l'ascensore, dopo un paio di sobbalzi paurosi, si bloccò a circa
quattro metri dal suolo. A quel punto, non avendo altre
dieci lire per ripartire, eravamo irreparabilmente sospesi
nel vuoto. Il primo problema fu quello di chiedere al Direttore Generale (in italiano e poi in inglese) se per caso non si
trovasse in tasca una monetina da dieci lire. Il brav'uomo, a
parte il fatto che non riusciva a capire perché mai in Italia si
dovessero pagare dieci lire per andare in ufficio, ammise di
avere addosso solo pezzi da dieci dollari. Mi affacciai allora
sul cortile e gridai con quanto fiato avevo in gola:
«Custode... custode...».

La portiera, settantenne e di pessimo carattere, era
anche un po' sorda dall'orecchio sinistro. Fortunatamente
per noi quel giorno si era seduta sotto l'androne con l'orecchio buono orientato verso il cortile. Mi sentì gridare e
venne in nostro aiuto.

«*'Sti fetiente,*» borbottò la megera «*nun mettono 'a diece
lire e po' vonno saglì!* (Questi fetenti, non mettono le dieci
lire e poi vogliono salire!)»

«Le abbiamo messe le dieci lire, signora,» risposi io in
tono risentito ma anche con signorile fermezza «l'ascensore
però si è bloccato lo stesso!»

«*Sè, sè, figurate si l'hanno mise!* (Sì, sì, figurati se le
hanno messe!)» replicò lei più diffidente che mai; poi,
avendo scorto Castaldi che si era affacciato anche lui sul
cortile, emise un urlo raccapricciante: «*Oilloco: io 'o saccio
a chillu viecchio! Fa sempe chesto! Ma mò t'aggia acchiap-
pato, mariuolo ca nun sì auto! Voglio proprio vedè si sta
vota nun te faccio levà 'o vizio 'e arrubbà!*»[1]

---

[1] «Eccolo: io lo riconosco quel vecchio! Fa sempre così! Adesso però ti ho beccato: ladro che non sei altro! Voglio proprio vedere se questa volta non riesco a
toglierti il vizio di rubare!»

Ovviamente Castaldi non capiva nulla, ma non poteva non accorgersi del pugno teso che la vecchia gli agitava contro.

«*What does that woman want from us?* (Cosa vuole quella donna da noi?)»

«*Just a moment please*, mister Castaldi,» risposi io, facendo appello a tutto l'inglese che conoscevo «adesso custode dare noi *coin* e noi scendere *down. Do you understand?*»

Ben presto si formò nel cortile un capannello di curiosi. Un ragazzo dopo un paio di tentativi riuscì a farci arrivare una monetina da dieci lire, ma l'ascensore non ne volle sapere di ripartire. Solo una scala, e molto lunga, avrebbe potuto liberarci. Restammo ancora mezz'ora ad aspettare i soccorsi, praticamente esposti alla curiosità della folla che ci guardava e commentava. Poi, se Dio volle, arrivarono due volontari con una scala.

«*My God!*» sospirò mister Castaldi.

La scala, malgrado fosse lunghissima, non ce la fece ad arrivare fino all'ascensore, per cui fu necessario tenerla dritta a forza di braccia. Il Direttore Generale, già provato dagli avvenimenti, si dovette prima sdraiare a pancia in giù sul pavimento dell'ascensore, e poi, dopo aver brancolato un po' con i piedi per trovare il primo piolo, poté scendere lentamente, mentre io da sopra (in ginocchio) lo reggevo per le ascelle. La portiera nel frattempo non smise mai un attimo d'insultarlo.

I dirigenti dell'ATAN non solo non sganciarono una lira, ma chiesero un'ulteriore espansione del centro. Parlarono di atto di fiducia della IBM verso il Mezzogiorno. Dissero che avrebbero pagato l'intero debito non appena avessero avuto i soldi dal Comune di Napoli. La sera, quando tornai in filiale, tutti cercarono di rassicurarmi: il mancato recupero e le disavventure occorse a Castaldi non avrebbero di certo influito sulla carriera. Magari avranno avuto anche ragione, nessuno però mi ha mai tolto dalla testa che se non sono più diventato direttore di filiale è stato pure per colpa dell'ATAN.

Passarono gli anni e un bel giorno ebbi la responsabilità del cliente più prestigioso della filiale: il Banco di Napoli. Il computer del Banco era nientemeno che il famoso 360/65, il più grosso dei calcolatori allora in circolazione. Quando mi comunicarono il nuovo incarico non potei fare a meno di provare un fremito di orgoglio. L'unico problema era costituito dal dottor Acampora, il direttore del Centro elettronico. Non che fosse cattivo, per carità; anzi, Giovannino Acampora era una persona squisita, un sincero estimatore della IBM. Aveva però un difetto da non sottovalutare: quando si arrabbiava diventava tremendo, in particolar modo quando la ragione era dalla sua parte, cosa che purtroppo accadeva spesso. D'altronde il mio capo, l'ingegner Mariani, me lo aveva detto chiaro e tondo: «De Crescenzo, le affido il Banco per le sue ottime doti di incassatore. Secondo me, lei Acampora lo regge!».

Un giorno stavo per entrare nello studio di don Giovannino, quando Coviello, l'usciere del Centro, mi trattenne per un braccio.

«Oggi non è cosa, ingegnè!» mi sussurrò in un orecchio. «È meglio che ve ne andate!»

«Perché, che è successo?»

«Non lo so, ma mi hanno detto che *sta comme a 'nu pazzo*!»

«Io non sento niente» replicai, accostando l'orecchio alla porta dell'ufficio di Acampora.

«Questo non vuol dire,» commentò Coviello dall'alto della sua esperienza «dentro ci sono tutti. Non parlano perché si stanno conservando le forze per quando venite voi.»

«Grazie Rafè, ma purtroppo non posso scappare, altrimenti che figura faccio!»

«Io vi ho avvisato, poi voi fate come volete.»

Entrai e nessuno mi salutò: erano tutti in circolo intorno alla scrivania di Acampora. Lui guardava il soffitto come se fosse in attesa di qualcosa che dovesse piovere dall'alto, gli altri invece, quelli dello staff, avevano la testa china e fissavano il pavimento. Sembrava più una veglia funebre che una riunione di lavoro: mancava solo la salma al centro della stanza. Dopo qualche minuto, non reggendo alla tortura del silenzio, chiesi con un bisbiglio: «È successo qualcosa?».

«È successo qualcosa, ragazzi?» ripeté Acampora rivolgendosi ai suoi collaboratori.

Nessuno ebbe il coraggio di rispondere. Dopo un altro minuto interminabile lui mi fissò negli occhi e mi chiese: «Secondo voi, ingegnè, è successo qualcosa?».

«Veramente io sto arrivando or ora da casa...»

«Si è bloccato il *teleprocessing*[2]» m'interruppe lui con voce adeguata alla gravità del guasto. «Tengo fermi tutti i terminali del Monte di Pietà!»

L'arrivo dei terminali fu un evento traumatico per i frequentatori del Monte. In genere si trattava di povera gente che arrivava agli sportelli del Banco per impegnarsi la fede nuziale o le lenzuola del corredo.

«*Giovane,*» diceva la vecchietta all'operatore «*me so venuta a piglià 'a cullanella d'oro: ccà stanno 'e solde.* (Sono venuta a riprendermi la collanina d'oro, qua stanno i soldi.)»

---

[2] Il *teleprocessing* era un programma che consentiva la trasmissione dei dati a distanza. Il Banco di Napoli era stato tra i primi istituti bancari a installarlo. Cavia di questa sperimentazione il Monte di Pietà, situato nel cuore della vecchia Napoli.

«Codice cliente, numero di polizza e data di deposito» rispondeva burocratico il terminalista.

«Io proprio a vvuie l'aggie cunzignate! Nun v'a ricurdate? Era 'na cullanella d'oro cu 'na croce 'e brillantine. Chella m''a rigalaie mariteme 'o juorno ca nascette Nunziatina. 'E brillantine sò faveze, ma 'a cullanella pesa diece gramme.»[3]

«Sì, ma in che data l'avete depositata?»

«Chiuveva (pioveva)!» rispondeva la vecchietta e non si rendeva conto del perché quell'uomo, a cui lei stessa un anno prima aveva consegnato la collanina d'oro, non gliela volesse più restituire dal momento che lei era riuscita a mettere insieme i soldi per disimpegnarla.

Se a tutto questo aggiungiamo un'improvvisa «caduta del sistema» con conseguente isolamento dei terminali, possiamo immaginare cosa fosse accaduto quel giorno nella Sala Pegni tra vecchiette e operatori! Acampora aveva tutte le ragioni per essere preoccupato.

In macchina, durante il tragitto dal Centro elettrocontabile al Monte di Pietà, mi elencò le sue riserve sulla scarsa affidabilità del *teleprocessing.* Sennonché, una volta arrivati a destinazione, avemmo la lieta sorpresa che tutti i terminali erano di nuovo in funzione. Uno dei nostri tecnici, prontamente intervenuto, aveva già riavviato il sistema. Don Giovannino sorrise e disse: «Andiamoci a prendere un caffè».

Scendemmo giù a Spaccanapoli, Acampora era contento.

«Lo vede, dottore,» dissi io, desideroso di prendermi una piccola rivincita «lei è sempre un po' troppo critico nei nostri confronti: un'altra volta ci dia più fiducia.»

«Sì, ingegnere, lo ammetto: questa volta vi è andata

[3] «Io proprio a voi l'ho consegnata! Non ve la ricordate? Era una collanina d'oro con una croce di brillantini. Me la regalò mio marito il giorno in cui nacque Nunziatina. I brillantini sono falsi, ma la collanina pesa dieci grammi.»

bene. Però, non esageriamo: dopotutto l'intervento tecnico potevate anche anticiparlo! Non è detto che bisogna sempre aspettare la catastrofe per avere un po' di manutenzione!»

«Sì, ma come si fa a prevedere un guasto?»

«Si fa, si fa: perché volendo si può sempre fare la manutenzione preventiva!» gridò Acampora in mezzo alla folla di Spaccanapoli, e man mano che s'infervorava il suo colorito da rosso chiaro diventava rosso bandiera. «Perché, ingegnere bello, guardiamoci negli occhi: se non siete capace di far funzionare le vostre macchinette, allora seguite il mio consiglio: dichiarate fallimento! E non ci dimentichiamo che io vi do tre milioni al giorno! DICO TRE MILIONI! E secondo me, sono tre milioni rubati! Ingegnè: TRE MILIONI!»

Intorno a noi nel frattempo si era andato formando un capannello di curiosi. La cosa che più aveva colpito i presenti era il fatto che il dottor Acampora mi desse tre milioni al giorno. Improvvisamente divenni oggetto dell'ammirazione popolare.

«*Giovane,*» mi chiese una donna, guardandomi con enorme rispetto «*ma che le facite a stu signore p'avè tre milioni 'o juorno?* (Cosa gli fate a questo signore per avere tre milioni al giorno?)»

«Niente, signò,» risposi io con modestia «io sto solo a sentire.»

Poi ci fu il caso del dottor Santillo, di Maria Addolorata e del Gran Ballo del GUIDE a Sorrento.

Tutto cominciò il giorno in cui la IBM Domestic, cioè la casa madre, scelse Napoli come sede del congresso annuale del GUIDE e pensò di affidarne l'organizzazione al Banco di Napoli. Il GUIDE è il club dei grandi utenti IBM, in altre parole l'associazione di quelli che hanno i computer più grossi. Una volta l'anno questi megaclienti s'incontrano in una città del mondo, un po' per scambiarsi informazioni ed esperienze di lavoro, e un po' per criticare la IBM che li ha fatti incontrare. Misteri del capitalismo illuminato. Quell'anno era toccato a noi napoletani organizzare la festa, e nella fattispecie a me, in quanto responsabile commerciale del cliente ospitante.

Fui subito preso da mille preoccupazioni: sale da trovare, ricezione alberghiera, traduttrici in simultanea, itinerari turistici, shopping per le mogli dei congressisti, Gran Ballo finale a Sorrento e via dicendo. Tutto doveva essere perfetto, preciso, confortevole, o nella peggiore delle ipotesi rimediabile, giacché chi lavora in IBM sa che deve prevedere ogni possibile contrattempo, e per ogni contrattempo, fine del mondo compresa, deve sempre avere a portata di mano una procedura d'emergenza.

Un giorno, mentre si discuteva se era meglio alloggiare negli stessi alberghi i tecnici e i dirigenti, perché facessero amicizia, o se invece era più prudente tenerli separati, mi fu annunziato un certo dottor Santillo del Banco di Napoli che chiedeva un colloquio privato.

Vidi un omino vestito di grigio, pelato, occhialuto e con una cartella di pelle sotto braccio, alla quale si aggrappava come a un salvagente.

«Sono Santillo, il dottor Santillo,» mormorò a bassissima voce, quasi temesse di essere udito da qualcuno rimasto fuori a origliare «sono il direttore dell'agenzia di Casavatore. Ho bisogno del vostro aiuto!»

«Dica pure dottore: in che cosa posso esserle utile?»

«Ingegnè, io avrei bisogno di una grande cortesia: voi mi dovete mettere nella lista dei soci del GUIDE.»

«Ma lei è già nel GUIDE: il suo istituto, il Banco di Napoli, è uno dei soci più anziani.»

«No, non ci siamo capiti: voi dovete mettere me, Santillo Gaetano, nella lista del GUIDE, perché io vorrei essere invitato al Gran Ballo a Sorrento, quello dove vanno tutti i congressisti!»

«Veda, dottore,» risposi io, un po' imbarazzato, ma sempre con la massima cortesia «la lista degli invitati non viene decisa da noi: è il computer che provvede a stampare gli inviti, sempre tenendo conto dei soci...»

«E io per questo» replicò il dottor Santillo «vorrei essere messo nella lista...»

«Beh... si può fare... però temo che non troverà molto interessante la compagnia: in genere si tratta di tecnici di computer e per di più stranieri.»

«Ingegnè, io sono mosso da altri obiettivi: ora non so se posso aprirmi...»

«Mi dica tutto senza problemi.»

«Si tratta di esigenze private... familiari... che tra l'altro dovrebbero restare tra noi...»

«Di questo non deve minimamente preoccuparsi.»

Santillo mi squadrò per un attimo, probabilmente per capire se poteva fidarsi. Poi si decise e cominciò a raccontare:

«Io ho una figlia, Maria Addolorata, che ha trentasette anni ed è ancora nubile. Per una ragazza di paese il matrimonio ha un valore diverso da quello che può avere per una di città. Ci sono i parenti che vogliono sapere... i vicini di casa che chiedono: "E Maria Addolorata che fa, si è fidanzata?". Ora a Casavatore l'ambiente è quello che è; ormai ci conosciamo tutti e non ci sono più speranze che si possa sposare con qualcuno del paese. E pensare che a vent'anni Maria Addolorata aveva trovato un ragazzo della sua età che se la voleva sposare! Io mi opposi: il giovanotto non aveva ancora un mestiere e non mi fidai. Feci male, lo so, ma ormai è inutile piangere sul latte versato. Anche per questo adesso ho i miei bravi rimorsi. Ora c'è questo Gran Ballo a Sorrento. Ho saputo che sono stati invitati ingegneri provenienti da ogni parte del mondo, inglesi, tede-

schi, australiani... Ingegnè, chi ci dice che tra questi giova-
notti non ce ne sia uno che si possa innamorare di mia
figlia? Non perché sono suo padre, ma vi assicuro che
Maria Addolorata è una ragazza eccezionale: potrebbe
essere una moglie perfetta, un'ottima donna di casa, di
moralità ineccepibile e piena di sentimento.»

I signori Santillo, padre e figlia, furono regolarmente
invitati come congressisti. Preso da mille problemi non ebbi
mai il tempo di fare la conoscenza di Maria Addolorata,
anzi per meglio dire mi dimenticai del tutto della sua esistenza, finché un bel giorno, cinque anni dopo il congresso
del GUIDE, non fui fermato per strada da un signore dal-
l'aspetto dimesso.

«Ingegnere! Come va? Si ricorda di me? Sono Santillo...
il dottor Santillo.»

A dir la verità, io non me lo ricordavo affatto: fu lui
stesso a rinfrescarmi la memoria.

«Santillo del Banco di Napoli... quello con la figlia...
Maria Addolorata! Volemmo essere invitati a Sorrento...»

«Ah sì, adesso ricordo: il direttore dell'agenzia di Casavatore.»

«Proprio così, sono io, e meno male che vi ho incontrato» mi disse Santillo, più depresso che mai. «Ingegnè:
voi dovete farmi un altro grandissimo piacere, mi dovete
togliere dalla lista del GUIDE!»

«Ma come: se ci tenevate tanto!»

«E mi sbagliavo. Vedete ingegnè, io sono una persona
apprensiva: anche l'arrivo di una lettera mi mette in agita-
zione, e non vi dico poi se mi arriva un telegramma!
Ebbene questi signori del GUIDE mi scrivono tutti i giorni:
"È uscito il nuovo *release* del COBOL, è uscito il DOS, è
uscito il BOS". Insomma tutte cose che io non capisco e che
non voglio capire! E tutto questo perché? Per una fetente

di cena dove non conoscemmo assolutamente nessuno e dove, detto tra noi, mangiammo anche maluccio! E no. quando è troppo, è troppo! Oggi Maria Addolorata è serena. Ha avuto, come si dice, una evoluzione mistica: dipinge, ricama, praticamente è felice, e sarei felice anch'io se non ci fossero questi avvisi del GUIDE che mi ricordano la cena di Sorrento. Ingegnè, vi prego: toglietemi dalla lista *ca si no esco pazzo!*»

XI
Il Cinema

«Buongiorno dottò: che ci avete quarche ccosa pe' mme?» mi grida «er Panciera» e si appende al finestrino della macchina.

L'autista della produzione, con l'insensibilità tipica di chi fa il cinema a Roma, non gli bada più di tanto e se lo trascina dietro per qualche metro. Faccio appena in tempo a sentirgli dire *«Ci ho la Sippe, dottò... ci ho la Sippe da pagà!»* che l'auto ha già superato il varco d'ingresso degli stabilimenti De Paolis.

Dovendo indicare un personaggio rappresentativo del cinema italiano, più che a Fellini, forse, penserei al Panciera. Fellini è un'eccezione e come tale sarebbe potuto nascere dovunque. Er Panciera invece non riesco a immaginarmelo se non romano, figlio di romani, con moglie trasteverina e tirato su a forza di matriciane, pajate e code alla vaccinara. Perfino il suo dialetto, il romanesco, è l'unico che si sente circolare tra le maestranze dei set cinematografici. Er Panciera è furbo, cinico, volgare, inarrestabile, camaleontico, umile con i registi, protervo con le comparse e affabile con tutti tranne che con i bambini prodigio, gli animali, gli effetti speciali e con chiunque altro gli possa complicare la vita.

Quando chiedo una prestazione al Panciera, lui mi

risponde subito sì, senza nemmeno darmi il tempo di spiegare fino in fondo di che cosa si tratta. È inutile star lì a chiedergli se sa ballare il tip tap, cavalcare a pelo o parlare cinese, tanto darà sempre risposte affermative e, a seconda della richiesta, sosterrà di essere il migliore ballerino del mondo, di aver già lavorato come cavallerizzo nel circo Orfei e di avere una cugina, guarda caso, proprio di Hong Kong con la quale parla cinese tutte le sere, salvo poi rifiutarsi di ballare, cavalcare e parlare cinese il giorno in cui deve farlo sul serio. Il suo motto è: «Prima si accetta e poi si discute».

«Senti Panciera, io avrei una cosa da proporti, ma è un po' pericolosa: si tratta di entrare nella gabbia di un leone...»

«E siete capitato bene dottò» m'interrompe lui. *«A me sapete come me chiamano?»*

«No.»

«"L'amico dei leoni." Pe' vvia che ci avevo un cognato a lo zoo de Roma che faceva er guardiano. A lui nu je annava de alzarse presto la matina e allora ci annavo io tutti i giorni a da' da magnà alle bestie.»

Poi, una volta inserito nel libro paga, corregge il tiro.

«E questi so' terribili dottò: nun so' come quelli de mi cognato. Quelli erano bboni, perché ce li eravamo cresciuti in casa... io li chiamavo puro pe' nome. Questi invece me guardano storto come me se volessero magnà. Io francamente, ar posto vostro, pe' la scena de quanno devo entrà n'a gabbia, prenderei 'na controfigura. Forse ce vorrebbe addirittura er domatore. Dottò, sentite che ve dico, annamo sur sicuro e pijamo er domatore.»

Iniziò il mestiere a tredici anni vendendo panini sul set di *Ben Hur* e da allora non c'è lavoro di cinema, umile o faticoso che sia, che lui non abbia fatto: comparsa, generico, capogruppo, trovarobe, autista, *stuntman*, *rompighiaccio*, assistente di produzione, microfonista, *cestinaro*, guardiano di roulotte, aiuto-macchinista, aiuto dell'aiuto, eccetera eccetera. Alcune di queste professioni meritano una descrizione a parte.

Il *rompighiaccio* è indispensabile in tutte le scene dal vero. Per quanto si possano pregare i passanti di non dare sguardi in macchina, c'è sempre qualcuno che, attirato dalle luci del set, si mette a guardare giusto dentro l'obiettivo. Prima che ciò accada il *rompi* gli va incontro, lo blocca, gli chiede l'ora o lo abbraccia affettuosamente come se non lo vedesse da anni. Fare il *rompi* non è un mestiere facile: ci vuole intuito, esperienza e fantasia.

Il *cestinaro* è il vivandiere del cinema: arriva una mezz'ora prima della pausa col furgoncino stracarico di scatole di cartone. All'inizio la distribuzione dei cestini sembra una festa: tutti fanno ressa intorno a lui e chi gli chiede il «bianco», chi il «rosso», e chi se li fa dare tutti e due perché ha un collega che in quel momento non si può muovere dal posto di lavoro. Poi, a poco a poco, in ognuno, subentra la tristezza del precotto. Il «bianco» è a base di formaggio e frutta, il «rosso» contiene la pasta al sugo e una fettina di carne così sottile da risultare trasparente. Caratteristica comune di entrambi: il «sapore cestino», un qualcosa cioè a metà strada tra il sapore della plastica e quello del cartone. Il bravo *cestinaro* può aumentare il proprio guadagno con i recuperi: c'è sempre chi lascia il formaggio, la pera o il caffè Borghetti. Un *cestinaro* avveduto li salva e li ricicla pari pari il giorno successivo.

L'aiuto-regista, ironia di un nome, ha sempre bisogno di aiuto: i suoi compiti, infatti, sono così vari e articolati che è indispensabile affiancargli uno o più aiuti in seconda. In genere si tratta di giovani volontari che vogliono fare una esperienza di set o, come nel caso del Panciera, di persone che hanno un assoluto bisogno di lavorare. Il loro campo d'azione non ha limiti: si va dall'imporre il silenzio durante le riprese al comprare le sigarette al regista. Gli aiuti degli aiuti sono particolarmente utili in tutte le scene nelle quali bisogna gestire un numero alto di comparse. In pratica essi svolgono un lavoro simile a quello dei cani-pastore: impediscono che il gregge si dissolva e abbaiano non appena una comparsa si allontana dal set.

Quando si deve girare una scena di massa, la convocazione è di solito molto mattiniera (massimo alle sette e trenta) e questo per dar modo ai «costumi» e al «trucco» di fare con calma il proprio lavoro; il primo ciak invece non verrà mai dato prima di mezzogiorno, se non addirittura dopo la pausa. Il che vuol dire che, quando il regista è pronto per girare, non c'è più una comparsa che è una nei dintorni del set: chi è andato al bar, chi a telefonare, chi a gabinetto, chi a sdraiarsi su un prato e chi a sedere su un muretto. A quel punto l'aiuto-regista afferra il megafono e come prima cosa fa un cicchetto amplificato a tutti i suoi aiuti, anche se li vede solo a un metro di distanza. Gli aiuti degli aiuti, a loro volta, cominciano a correre in lungo e in largo per lo stabilimento e a rintronare d'improperi chiunque riescano a trovare in posizione di riposo.

Un giorno avevo a che fare con duecento comparse che dovevano sembrare quattrocento, il che era reso possibile dal fatto che ogni comparsa si era portato da casa un cambio e che agli estremi del campo c'erano due costumiste degne di Fregoli che provvedevano a riciclarle a tempo di record. «Via i baffi, mettiti il cappello, cambiati la giacca, molla il bastone, fai presto, via il cappotto, giù la barba, non dormire, levati lo scialle, alzati il bavero, vai!» I più abili, oltre al costume, diversificano anche l'andatura: se nel primo passaggio avevano attraversato il campo diritti come fusi, al secondo fingevano di zoppicare.

Quel giorno, dicevo, fu un problema rintracciare le duecento comparse che si erano sparpagliate per ogni dove. Il mio aiuto si mise al centro del cortile della De Paolis e, preso il megafono, urlò tanto da farsi sentire pure dai morti del Verano. Aveva con sé due aiuti in seconda e uno di questi era proprio er Panciera.

Cominciò la grande caccia: urla, strepiti e strattonate. Dopo una mezz'oretta tutte le comparse erano pronte a girare.

«E il prete?» chiesi io. «Dov'è il prete?»

«DOV'È IL PRETEEEE?» ripeté l'aiuto-regista, amplificando come sempre la domanda *urbi et orbi*.

«*Se n'è annato a comprà er Coriere d'o sport*» sussurrò una delle comparse, un po' incerta se fare la spia o farsi i fatti propri.

«MALEDIZIONE E MORTE!» urlò ancora l'aiuto. «QUANDO LO ACCHIAPPO A QUELLO LÌ, GLI STACCO I COGLIONI!» Poi, rivolgendosi al Panciera: «VALLO A PRENDERE E PORTAMELO QUI A CALCI IN CULO! HAI CAPITO COME ME LO DEVI PORTARE? A...CAL...CI...IN...CU...LO...».

Er Panciera partì a testa bassa e dopo pochi minuti ce lo vedemmo riapparire in compagnia del prete. Lo aveva arpionato fuori dello stabilimento e ora lo spingeva verso di noi come un manzo al macello: ogni dieci passi uno spintone e ogni dieci passi il disgraziato, per non cadere, era costretto a fare una corsettina. Non appena rallentava, però, si beccava subito un altro spintone. Il tutto accompagnato da urla disumane degne di un pellirossa.

«Ma questo non è il prete» dissi io non appena me lo vidi davanti.

E infatti non era lui: era un prete autentico che il Panciera aveva catturato davanti al giornalaio mentre stava comperando l'«Osservatore Romano».

«Mi scusi padre,» gli dissi «ma lei perché non ha protestato?»

«E come potevo?» rispose il poveretto. «Questo pazzo continuava a insultarmi e poi mi spingeva...»

Il pazzo, intanto, ovvero il Panciera, resosi conto dell'errore perpetrato, cercava di rimediare alla gaffe baciandogli le mani.

«*Padre, me deve perdonà... io me credevo che fosse dei nostri... lei sa com'è fatto er cinema...*» Poi, cambiando improvvisamente tono di voce: «*Padre, le andrebbe de fa' 'na particina? Tenuto conto che già ci ha er costume addosso, le potremo sgancià un bel ducentomila tutto compreso*».

Una volta avevo bisogno di due concubine: una bella e una brutta. Non essendo previste battute, non era necessario che sapessero recitare, l'importante però è che fossero sul serio una bella e una brutta, così com'era scritto sulla sceneggiatura. Gli unici tenuti a parlare in quelle scene, infatti, erano Aristippo e Antistene, rispettivamente i filosofi del piacere e della rinunzia. Il primo dichiarava di poter amare solo le donne molto belle, mentre il secondo sosteneva che le donne devono essere brutte, perché più sono brutte e più amano i loro uomini senza riserve. Convoco er Panciera.

«Senti,» gli dissi «mi servono due ragazze, una bella e una brutta. La bella ce l'ho già: me la mandano quelli di Miss Italia. Tu mi dovresti trovà la brutta.»

«*Ci ho proprio 'a persona giusta,*» rispose lui con la solita prontezza «*oggi pomeriggio me la carico e ve la porto.*»

E infatti verso le quattro del pomeriggio lo scorsi, all'ingresso della De Paolis, insieme a una ragazzotta bassina.

Appena mi vide, malgrado fosse ancora a cinquanta metri di distanza, si mise a urlare: «*Dottò, ci ho 'a brutta! Ci ho 'a brutta, dottò!*».

Sentendolo gridare e, soprattutto, notando tutta la troupe girarsi di scatto per vedere chi era questa brutta, lo raggiunsi di corsa e, dopo avergli fatto l'occhiolino perché la smettesse di umiliare la ragazza, finsi di protestare.

«Ma Panciera, la signorina non è brutta!»

«*Nun'è brutta!*» esclamò lui, al colmo dello stupore. «*E peggio de così ndò la trova?*»

«Mi scusi, signorina,» lo interruppi, cercando di metterci una pezza «ma con ogni probabilità saremo costretti a truccarla da brutta...»

«*Ma nun c'è bisogno*» insisté er Panciera. «*Sta bene così com'è. Guardate che cosce che c'ha, dottò: me parono du' presciutti, me parono!*»

«D'accordo,» tagliai corto io «allora la prendiamo.»

«*E pe' la paga, dottò,*» chiese ancora lui «*jè stanno bene centomila la brutta e cinquecentomila la bella?*»

Durante le riprese del film *32 Dicembre*, er Panciera ebbe una strana avventura. Era un pomeriggio d'estate e avevamo appena terminato di girare in una villa sulla via Trionfale. Ci saremmo dovuti trasferire a Villa Borghese per girare una ripresina in un parco pubblico, ma avevamo solo tre ore di «luce» e temevamo di non farcela.

«Secondo me,» disse il mio aiuto «o troviamo un parco nelle vicinanze, o rimandiamo tutto a domani.»

«Si potrebbe andare al Santa Maria della Pietà» propose il direttore di produzione.

«Al manicomio?» chiesi io. «E il permesso?»

«Lo abbiamo avuto altre volte» rispose lui. «Il parco è bello. Provo a vedere se ci fanno entrare.»

Fu così che finimmo nel maggiore ospedale psichiatrico di Roma. Scegliemmo un angolino piuttosto lontano dall'edificio principale in modo da non dare e non ricevere fastidio.

A quell'ora il parco era quanto mai suggestivo e il sole, che aveva già iniziato la sua discesa sull'orizzonte, tracciava tra i rami degli alberi lunghe strisce di luce.

«Se vogliamo evidenziare i raggi,» disse Danilo Desideri,

il mio direttore della fotografia, «dovremmo fare un po' di fumo.»

Chiamai subito er Panciera.

«Panciera, fammi un piacere,» gli dissi «va' dietro quegli alberi e mettiti a bruciare quante più foglie secche puoi. Cerca di far molto fumo e mi raccomando: non farti vedere. Nasconditi dietro una siepe, buttati per terra, fa' come ti pare, ma non farti vedere.»

Er Panciera trovò addirittura un fossato dove eclissarsi. Prima si procurò le foglie e poi, al mio via, cominciò a bruciarle.

La scena era estremamente facile: si trattava di una ripresa senza sonoro. Un attore doveva cambiarsi d'abito tra gli alberi e poi allontanarsi: due ciak al massimo e poi tutti a casa. Quando terminammo, però, nessuno si ricordò di avvisare il Panciera.

Dopo una mezz'oretta due infermieri videro del fumo salire dal parco e, non sapendo del permesso accordato, andarono a vedere che cosa stesse bruciando. Trovarono er Panciera, in fondo a un fosso, tutto intento a bruciare foglie.

«*Che stai a fa'?*» gli chiesero.

«*Sto a fa' er fumo*» rispose giustamente er Panciera.

«E perché lo fai?»

«*Perché m'ha detto er regista.*»

«Quale regista?»

«Eccolo là!» replicò er Panciera, uscendo dal fosso. E con suo grande stupore non vide più nessuno.

I due infermieri gli si avvicinarono e con molta gentilezza lo presero sottobraccio, uno da una parte e uno dall'altra. Poi gli rifecero la domanda.

«Quale regista?»

«*Der firme*» rispose er Panciera sempre più allarmato.

«Quale film?»

«*32 Dicembre.*»

Riuscimmo a liberarlo solo a tarda sera, quando, grazie alla moglie, fummo avvisati che era stato internato.

L'anno scorso er Panciera lavorava sul set del film *Mamba* di Mario Orfini.

Il black mamba è uno dei rettili più velenosi del mondo. La produzione se n'era fatti arrivare cinque dall'Africa equatoriale e li aveva sistemati in una gabbia di vetro riscaldata a 40 gradi. Ogni venti giorni, er Panciera procurava loro dei piccoli topolini bianchi che i mamba divoravano in un solo boccone. Lui, in verità, le mani dentro la gabbia non le metteva mai, ma li consegnava all'uomo dei serpenti, un negro della Tanzania chiamato Ubasci, che non parlava altra lingua al di fuori dello *swahili.*

Un giorno er Panciera mi telefona da Cinecittà.

«*Dottò, ve chiamo da parte de' Orfini: dovete da venì subito a Cinecittà.*»

«Che è successo?» chiedo io.

«*Adesso è 'na cosa lunga da spiegà pe' telefono, se venite qua v'a dico.*»

Vado a Cinecittà e trovo er Panciera che mi aspettava fuori dal cancello, sulla Tuscolana.

«*Dottò, stamattina dovevamo girà 'a scena der serpente che mozzica er conijo.*»

«E allora?»

«*Allora sapete com'è che succede sur sette: le luci a mezzogiorno nunn'erano ancora pronte. Er serpente io ce l'avevo bbono bbono nella vaschetta. Er conijo invece se lo passaveno de mano in mano tutte le ragazze de la truppe. E dicevano: "Ma quant'è carino, e fammelo tenè pur'a mme, e damoje quarche ccosa da magnà". Insomma, s'erano affezionate...*»

«A chi, al coniglio?»

«*Sì, ar conijo. E proprio pe' questo, quann' hanno capi-*

to che fine doveva fa', nun ve dico e nun ve conto quello che è successo. "Assassini!" gridaveno. "Er conijo nun se tocca!"»

«Beh, però avevano ragione...»

«*Allora*» continua lui «*io co' la massima gentilezza ho detto a le ragazze: "A stronze, ma ve lo sapete magnà er conijo quanno annate ar ristorante. Ebbè, come ve credete che l'ammazzeno er conijo? Cor cortello da cucina l'ammazzeno! E nunn'è mejo morì d'un mozzico solo, tutto d'un botto, che scannati da 'n cortello de cucina?". Ma nun ce stato gnente da fa': insomma, per farvela breve, adesso nun vonno più lavorà e so' annati tutti ar bar.*»

La contestazione era più grave di quanto potessi immaginare. Era stata chiamata anche la Protezione animali e qualcuno voleva denunciare il produttore per crudeltà verso le bestie.

Feci di tutto per calmare i più esagitati. Promisi che avrei convinto il regista ad addormentare il coniglio e a scaricare il veleno del mamba. Quello che non potevo promettere era di convincere anche il mamba a non mordere il coniglio. Sennonché, proprio mentre noi si stava discutendo su come salvare la vita al coniglio, accadde l'incredibile: Mario Orfini aveva girato lo stesso la scena e il coniglio aveva ammazzato il serpente.

So benissimo che la cosa può sembrare inverosimile, eppure, cosa volete che vi dica, i fatti erano andati proprio così: non appena alzata la paratia di vetro che divideva le due bestie, il coniglio s'era avventato sul mamba e lo aveva sballottolato a destra e a sinistra fino a farlo morire d'infarto.

«*Era un conijo ferocissimo dottò,*» mi disse er Panciera «*praticamente 'na belva! Ubasci poraccio sta avvilito: adesso je so' morti tutti li mamba che s'era portato dall'Africa. Sta a piagne' nelo sgabuzzino dell'attrezzi... e ve giuro che me fa 'na pena!*»

«Ma com'è che sono morti tutti questi mamba?»

«Perché nun so' abituati ar cinema, dottò. Er cinema italiano è troppo feroce, nunn'è come la giungla dove se po' campà tranquilli! I serpenti so' bestie che nun se moveno mai: sì e no na vorta ar mese se scomodano pe' magnasse n'animaletto. Magnano e subito dopo se 'ntorcinano n'artra vorta.»

«E gli altri come sono morti?»

«Sempre d'infarto, dottò. Er regista ogni giorno li faceva stuzzicà da Ubasci co' la canna de bambù, perché così quelli s'arrizzavano tutti 'ncazzati. Allora er regista diceva "Bona questa, famone n'artra", e a forza de di' "Famone n'artra" je preso un coccolone a tutti quanti.»

Nel frattempo, al bar, i «verdi» del cinema, ispettore della Protezione animali in testa, brindavano alla vittoria del coniglio, tanto che io non potei fare a meno di far presente agli amanti della natura che anche i rettili, poverini, erano animali. Ma a quanto pare gli ambientalisti dividono gli esseri viventi in due categorie: i simpatici (foche, panda, cani, gatti, conigli, quaglie...) che vanno protetti, e gli antipatici (topi, serpenti, zanzare, scarafaggi...) che possono pure morire.

«Adesso stamo in crisi, dottò: nun ce so' più serpenti pe' continuà er firme» proseguì er Panciera. *«Bisogna aspettà che n'arrivi quarcuno dall'Africa. Er regista m'ha detto "A Panciè, e trovame 'na biscia lunga un par de metri che rassomija ar mamba, magari poi la pittamo de nero", ma io 'ndò la pijo?»*

«E non avevi un cognato allo zoo?»

«Io? E quanno mai!»

XII
Il Dubbio positivo

È stato come quando ci s'innamora: l'ho incontrata per caso a Milano e poi, piano piano, ho capito che non ne potevo più fare a meno. Sto parlando della filosofia, di questa strana scienza che, a essere sinceri, non so nemmeno io bene che cosa sia, ma che a conti fatti ha cambiato il mio modo di vivere.

Ai tempi dei greci la filosofia s'identificava con il conoscere, nel senso più ampio del termine, poi col passare degli anni alcune delle branche che la costituivano (come l'astronomia, la fisica, la politica e la medicina) si sono messe in proprio, lasciando in casa solo l'etica, la logica e l'ontologia.

L'inventore della parola «filosofia» pare sia stato Pitagora; dopo di lui molti altri hanno cercato una definizione che potesse in qualche modo circoscrivere l'area d'interesse della materia; i risultati, però, non sono mai stati chiari. Tanto per avere un'idea di quanti possano essere gli argomenti della filosofia, ecco alcune definizioni prese da dizionari o da saggi specialistici: «Scienza che studia i principi e la ragione ultima delle cose» (Palazzi), «Ricerca di un sapere capace di procurare un effettivo vantaggio» (Zingarelli), «Riflessione dello spirito umano sul mondo che lo circonda e su se medesimo» (De Ruggero), «Un qualcosa a metà strada tra la scienza e la teologia» (Russell).

Al liceo, la prima stupidaggine che s'impara è che «La filosofia è quella cosa, con la quale e senza la quale, il mondo resta tale e quale»; il che potrebbe anche essere vero, se si restasse sempre adolescenti, spensierati e soprattutto immortali. Col tempo invece ci si accorge che senza le grucce di una qualche fede o il conforto dell'*apátheia*, ovvero del distacco dalle passioni, si vive malissimo. Socrate sosteneva che coloro che «filosofano dirittamente» sono individui che «si esercitano a morire»;[1] noi, invece, che siamo più allegri, ci serviamo della filosofia per migliorare la qualità della vita. Alla fine scopriamo che entrambe le definizioni vogliono dire la stessa cosa e che l'unica sostanziale differenza tra i due modi di concepire la vita è se sia preferibile mirare al massimo della felicità o accontentarsi del minimo della sofferenza.

A volte mi chiedo: ma i grandi della finanza, gli Agnelli, i De Benedetti, i Gardini, i Berlusconi, si divertono sul serio a comprare e a vendere imperi economici? Provano un senso di felicità quando tornano a casa, la sera, con mille miliardi in più nel portafoglio? I capi della camorra e della mafia, i Cutolo, i Liggio, i Rijna, trovano conveniente esercitare un mestiere che in termini pratici vuol dire anche processi, carcere, guardie del corpo e vendette trasversali su madri, spose e fratelli? I grandi uomini politici, i De Mita, i Craxi, gli Andreotti, si sono mai chiesti se sia più conveniente la vita di un uomo di potere o quella di un padre di famiglia, magari semplice impiegato comunale, che però va a prendere ogni giorno la figlia a scuola? Ora i suddetti signori, chi nel bene e chi nel male, non sono certo degli sprovveduti, eppure finiscono tutti col sembrare dei ragazzini che si accapigliano mentre stanno giocando a Monopoli. Vuoi vedere, mi chiedo, che se avessero medi-

---

[1] Platone, *Fedone*, 67e.

tato un po' di più sui problemi della filosofia, campavano meglio?

A scuola non ebbi tempo di apprezzare granché la filosofia. Dovendo portare alla maturità tutte le materie degli ultimi tre anni, fui costretto a riassumerle al massimo, ragione per cui sostituii il troppo difficile Lamanna con il piccolo Bignami, un libriccino dalla copertina marrone, severamente proibito da tutto il corpo insegnante. Giunto però vicino agli esami, trovai oneroso anche il Bignami e ripiegai su alcuni appunti, da me definiti «sintetici», dove Talete, Anassimene ed Eraclito si erano via via ristretti fino a diventare, rispettivamente, «quello dell'acqua», «quello dell'aria» e «quello del fuoco».

Cominciai a capire qualcosa di filosofia solo dopo il divorzio. Ero ancora innamorato di mia moglie e soffrivo molto la solitudine. Una sera in cui mi sentivo particolarmente depresso ascoltai per caso, alla radio, una vecchia canzone di Libero Bovio. «*Me ne voglio ì all'America*» diceva il poeta «*ca sta luntano assaie, me ne voglio ì addò maie, te pozzo ncuntrà cchiù. Me voglio scurdà 'o cielo, tutte 'e canzone e 'o mare, me voglio scurdà 'e Napule, me voglio scurdà 'e mammema, me voglio scurdà 'e te.*»

Il giorno dopo chiesi alla IBM di essere trasferito il più lontano possibile. Una volta a destinazione, capii di aver commesso un errore madornale: a Milano mi sentivo doppiamente solo. Oltre ad aver perso l'amore, infatti, avevo perso anche i riferimenti a cui ero abituato da sempre, ovvero la casa, la città, i familiari e gli amici.

Appena arrivato, scesi in un albergo di via Fara; credo che si chiamasse Royal o qualcosa del genere. Poi, verso sera, uscii e mi misi in cerca di una trattoria. Essendo quella una zona di uffici, non trovai nessun locale aperto. Camminai allora lungo una direzione che a naso mi avrebbe dovuto portare verso il centro. Non ricordo più in quale ristorante andai a finire, so solo che all'uscita trovai una nebbia così fitta, ma così fitta, che sentii un passante esclamare: «Uè, ma una nebbia così non s'era vista mai!». La nebbia mi condizionò a tal punto da farmi dimenticare perfino il nome dell'albergo dov'ero alloggiato. Per un po' camminai senza meta, poi mi fermai e piansi in silenzio. Di tanto in tanto i fari delle automobili mi passavano accanto, ora a destra, ora a sinistra... Adesso che ci penso, dovevo stare al centro di una carreggiata.

Non che a Milano i milanesi non fossero gentili con me (anzi!), ma lo erano sempre e poi lo erano con tutti. Ecco un elenco sicuramente incompleto delle persone gentili che incontravo ogni giorno sul percorso casa-ufficio: il vicino di pianerottolo, il portiere, il barista, il giornalaio, il parcheggiatore, il benzinaio, il garagista, la *receptionist* e la segretaria. Capii subito che sarebbero stati ugualmente gentili anche se io fossi stato un altro e questa mancanza di discriminazione nei miei confronti mi fece star male. In altre parole, io cercavo una prova della mia esistenza e loro mi sommergevano di cortesie indifferenziate. Ricordo che una sera andai alla Rinascente e supplicai le commesse di trattarmi in modo più personale. «Signorine, vi prego,» dissi loro «se proprio non potete farmi lo sconto, fatemi almeno pagare qualche cosina in più, magari solo cento lire, purché la mia venuta, questa sera, lasci una traccia nel vostro cuore.» Niente da fare: mi scambiarono per un maniaco sessuale!

Prendiamo per esempio il mio vicino di casa, il dottor Gangemi, un anziano signore che lavorava in una società di assicurazioni. Lo incontravo tutte le sere in ascensore (avevamo gli stessi orari) e ogni volta, tra un «Come sta?» e un «Bene, grazie e lei?», riuscivamo a coprire il tempo necessario per passare dal pianoterra al terzo piano. Poi, a un certo punto, che mi fa Gangemi? Sparisce, nel senso che non lo incontro più per giorni e giorni; io giustamente penso che sia malato, e chiedo sue notizie al portiere, un brianzolo di Cantù.

«È morto» risponde il portiere.

«È morto!!! E com'è morto?»

«D'infarto.»

«E quando è successo?»

«Un mese fa.»

«E com'è che io non me ne sono accorto?»

«È morto durante un week-end.»

Insomma il dottor Gangemi era morto senza farmelo sapere e il portiere, da parte sua, non aveva sentito il dovere di tenermi informato. Se fosse stato un portiere napoletano mi avrebbe atteso il giorno dopo, fermo come una statua, sotto il portone, fin dalle prime luci dell'alba, se non altro per essere il primo a darmi la triste notizia.

«Ingegnè, avete visto che è successo?» avrebbe detto, fingendo di credere che già sapevo tutto.

«Che è successo?» avrei chiesto io.

«Ma come: non sapete niente!» si sarebbe stupito lui, sempre però senza venire al fatto, in modo da prolungare al massimo l'attesa.

«Io adesso sto tornando da Roma...»

«Il dottor Gangemi...» avrebbe cominciato a dire, per poi bloccarsi all'improvviso come sopraffatto dalla commozione; e qui io dalla sua faccia atteggiata al massimo cordoglio avrei dovuto capire tutto quello che era successo, anche perché lui (sempre per non impressionarmi) la parola «morto» non l'avrebbe mai pronunziata.

«È successa una disgrazia?»

Abbassamento di palpebre.

«È morto?»

Nuovo abbassamento di palpebre.

«E come è morto?»

«Un infarto.»

«Un infarto?»

«Una cosa improvvisa, ingegnè: si stava allacciando le scarpe, quand'è caduto faccia a terra in camera da letto. La moglie ha chiamato subito un'autoambulanza, ma non c'è stato niente da fare. Anche il padre, pace all'anima sua, era finito così.»

«Allacciandosi le scarpe?»

«Sissignore, tanto che io ho pensato: ma questi Gangemi perché non si comprano i mocassini?»

«Ma tu pensa che coincidenza!»

«Una famiglia distrutta, ingegnè, una famiglia distrutta!» avrebbe esclamato. «Io proprio il giorno prima lo avevo incontrato per le scale e gli avevo detto "Dottò, ci sarebbe il condominio da pagare" e lui mi aveva risposto "Abbi pazienza, Salvatore, ma adesso non ho tempo, ci vediamo domani". E ora chi ce l'ha il coraggio di andare a dire alla vedova che ci sarebbe il condominio da pagare! Ma voi, ingegnere mio, l'avreste dovuto vedere nella camera ardente: Gesù, Gesù, *e quant'era bello*: stava lì, disteso, come un patriarca, in mezzo ai fiori, sembrava che stesse dormendo! Che poi, *puveriello*, diciamo la verità: che teneva? Sì e no, sessantatré anni: tra due anni sarebbe andato in pensione. E invece... Ha lasciato una proprietà a Casavatore e due quartini sopra i Camaldoli, tutti e due però a fitto bloccato. Ma che siamo su questa terra!»

«Che siamo!» gli avrei fatto eco io.

Certo che a Milano il portiere napoletano mi mancava, in compenso però la vita di ogni giorno era diventata molto più facile. Il lavoro si era di gran lunga semplificato. Mentre a Napoli non riuscivo a tornare a casa mai prima delle nove, a Milano, alle sei, grazie alla puntualità milanese, mi ero già messo il cappotto per uscire. Ogni cosa funzionava come doveva funzionare: la metropolitana passava puntuale, i clienti rispettavano gli appuntamenti, la Scala iniziava alle otto in punto e tutti i cittadini, ma dico tutti, facevano il proprio dovere. Tanto che io, da bravo uomo del Sud, cominciai ad avere dei forti complessi d'inferiorità nei confronti dei milanesi: vuoi vedere, mi dicevo, che questi qui sono più intelligenti di noi? E conseguentemente sentii il bisogno di rivalutare l'immagine dei napoletani.

«Voi siete bravi,» andavo dicendo a tutti «anzi bravissimi! Attenzione però: la vita non è solo produttività, è anche immaginazione!»

E subito dopo, per meglio sostenere la tesi dell'ozio, senza cadere nel macchiettismo, ricorrevo a Bertrand Russell, oppure ai filosofi greci e alla loro diffidenza verso ogni forma di produttività.

«Ai tempi di Socrate chiunque veniva sorpreso a lavorare era considerato un *banausi* e come tale era disprezzato da tutti gli uomini di pensiero. *Banausi* in greco voleva dire manovale, ma anche volgare e ignobile. Perfino Fidia, Prassitele e Policleto, i tre artisti più bravi di Atene, erano criticati per il loro mestiere. Dicevano gli ateniesi: "Sì, d'accordo, saranno pure bravi, però non possono negare che quando lavorano sudano come disgraziati!". E così anche noi, diretti discendenti dei greci, siamo cresciuti con una sana diffidenza verso ogni forma di produttività eccessiva. Ciascun popolo ha poi un suo modo di concepire l'esistenza, una sua cultura di fondo che va rispettata. Quando vedete un orientale fermo, immobile, che si guarda l'ombelico e non fa niente, ma proprio niente, vi dovrebbe almeno venire il sospetto che quello lì ha capito una cosa che, forse, voi, nel vostro stakanovismo, non avete ancora capito.»

Dentro di me ero il primo a non credere all'esistenza di una vera e propria filosofia napoletana, degna di essere raccontata. Poi, a poco a poco, a forza di parlarne, cominciai a crederci. La napoletanità era per me il dialogo, i rapporti interpersonali, la musica, il sentimento e tutte quelle manifestazioni umane di cui più sentivo la mancanza a Milano. La milanesità, invece, era il rispetto per il prossimo, la capacità di mettersi in fila, la puntualità e il senso civico. Da pendolare nel lavoro divenni ben presto pendolare anche nei giudizi: mi sorprendevo, sempre più spesso, a parlar bene dei milanesi a Napoli e dei napoletani a Milano. Piano piano, senza quasi accorgermene, misi in piedi una teoria[2] secondo la quale l'umanità sarebbe costituita da due grandi tribù, gli uomini di amore e gli uomini di libertà, collocando i primi intorno al bacino del Mediterraneo e i secondi nell'area di influenza anglosassone.

Per trovare puntelli alle mie idee, cercai di documentarmi sui filosofi greci e scoprii che in proposito i nostri antenati avevano già detto tutto o quasi. Una forte spinta, infine, a dedicarmi allo studio della filosofia, la ebbi da due pazzi a piede libero, entrambi residenti a Napoli: i professori Riganti e Barbieri.

Riganti era un ex professore di fisica del liceo Vittorio Emanuele e uno dei soci più anziani del Circolo Napoli. Io, pur senza avergli mai parlato di persona, lo conoscevo di fama a causa della sua notoria avversione a spostarsi dalla poltrona dove (dicono) si era seduto una decina di anni prima il giorno in cui era andato in pensione. Anche arrivando molto presto al Circolo, lo si trovava già al suo posto, con accanto Ciro, il capocameriere, che gli leggeva i titoli dei giornali.

«Che si dice?» chiedeva il professore.

«La Cgil, la Cisl e la Uil hanno minacciato uno sciopero

---

[2] Cfr. L. De Crescenzo, *Così parlò Bellavista*, pp. 49-69 e pp. 119-133; *Storia della filosofia greca - I presocratici*, pp. 159-167.

generale» rispondeva Ciro in piedi, sull'attenti, con il giornale spalancato tra le mani.

«*Nun me passa manco p'a capa!*[3] Vai avanti!» rispondeva il professore senza voltare lo sguardo.

«Il partito socialista vorrebbe indire un nuovo referendum per consentire...»

«*Nun me passa manco p'a capa!* Vai avanti!» lo interrompeva Riganti.

«Caccia agli evasori fiscali» leggeva ancora Ciro.

«Hanno messo la pena di morte?» chiedeva Riganti, un pochino preoccupato.

«Veramente non ancora.»

«*E allora nun me passa manco p'a capa!* Vai avanti!»

Una sera, approfittando del fatto che con lui c'erano due persone che conoscevo, Bebè Maglione e il comandante Bagnulo, mi unii anch'io alla conversazione. Dopo le presentazioni di rito, il professore fece venire quattro caffè dal bar e Bebè prese lo spunto dalla qualità del suo espresso per comunicarci un progetto che aveva in mente da tempo.

«Io, uno di questi giorni mi voglio aprire tre torrefazioni: una la piazzo al Vomero, una alla Ferrovia e una a Fuorigrotta. Poi prendo un furgoncino con autista e ogni mattina, alle sette in punto, le rifornisco di caffè tutte e tre.»

«E com'è che hai fatto questa *pensata*?» chiese il comandante Bagnulo.

«Perché conosco i Matarazzo, ma non quelli di Napoli che non contano niente: io conosco quelli veri, i Matarazzo del Brasile, quelli con i soldi!» E mentre diceva «soldi» strusciava il pollice con l'indice, facendo il gesto che allude al denaro. «Io se voglio li posso chiamare pure in questo momento. A proposito che ora è? Le nove? Benissimo: a quest'ora in Brasile saranno le cinque del pomeriggio.

---

[3] Non me ne importa niente.

Adesso li chiamo e gli dico: "Mandatemi dieci quintali di caffè: tutta roba extra e di prima qualità".»

«E poi come fai a controllare che il personale non ti freghi?» gli chiese il comandante.

«E che ci vuole: io ci metto le casse elettroniche!» rispose ridendo Bebè. «Oggi con le casse elettroniche non ti possono scippare nemmeno cento lire. Gli impiegati lavorano e io me ne sto tranquillo tranquillo al Circolo a parlare, poi la sera alle otto, massimo alle nove, mi faccio un giretto con la Mercedes e ritiro gli incassi.»

Proprio in quel momento il professore si accorse che io avevo girato più volte il cucchiaino nel caffè.

«Ingegnere, scusatemi se vi faccio una domanda,» mi disse sorridendo «perché girate così a lungo?»

«Per far sciogliere lo zucchero.»

«Allora sentite un consiglio: col cucchiaino, fate solo un'andata e un ritorno, in linea retta, senza girare tante volte lungo la parete della tazzina. Anzi, se proprio volete fare una cosa buona, non muovetevi affatto: aspettate un paio di minuti e vedrete che lo zucchero si scioglierà da solo.»

«E perché non mi dovrei muovere? Me lo dite per farmi risparmiare fatica?»

«No, solo per far durare più a lungo l'Universo.»

«Mi scusi, ma non ho capito.»

«E adesso ve lo spiego» rispose il professore, sempre con la massima cortesia. «Quando Dio cacciò Adamo ed Eva dal paradiso terrestre, sapete cosa disse?»

Non lo sapevo e lui non si fece pregare per riferirmelo.

«Disse: "Tu uomo lavorerai con sudore e tu donna partorirai con dolore!". Poi, quando li vide uscire dal cancello, gettò loro l'ultimo anatema: "E tutti e due sarete perseguitati nei secoli dei secoli dal Secondo Principio della Termodinamica!". Ora io immagino che voi il Secondo Principio lo abbiate studiato a scuola, o mi sbaglio?»

«Certo che l'ho studiato» risposi con sicurezza, pur non ricordandone nulla.

«Molto bene,» si congratulò lui «allora, con il vostro permesso, io adesso vorrei farlo conoscere anche agli amici.» Quindi si voltò verso Bebè e il comandante e li costrinse a prestare attenzione, dopo di che, scandendo le parole a una a una, declamò ad alta voce il Secondo Principio della Termodinamica: «Ogniqualvolta la materia si trasforma in energia, una parte di questa energia diventa non più utilizzabile e va ad aumentare il Disordine dell'ambiente. La misura del Disordine si chiama Entropia».

Ne seguì un silenzio imbarazzante. Bebè era disperato: gettò uno sguardo verso il biliardo, come a dire: «Quanto sarebbe stato meglio se ce ne fossimo andati a giocare a boccette!».

«L'*homo*,» continuò il professor Riganti, ormai inarrestabile «troppo frettolosamente definito *sapiens* dagli antropologi, estrae il petrolio e lo trasforma, prima in benzina e poi in energia cinetica. Così facendo, s'illude di aver messo ordine nel suo angolino, senza rendersi conto che invece ha solo incrementato il Disordine; e già, perché una parte dell'energia contenuta dal petrolio si è dispersa nell'aria sotto forma di anidride carbonica e come tale non è più utilizzabile dal punto di vista energetico. Attenzione adesso a quello che dico: "In ogni trasformazione il Disordine che si crea è sempre maggiore dell'Ordine che si è creato".»

«Ma dove sta tutto questo disordine?» chiese Bagnulo un po' spazientito, guardandosi intorno.

«Sta intorno a noi e anche dentro di noi: se nessuno se ne accorge è perché, man mano che lo produciamo, lo mettiamo sotto i tappeti.»

«Sotto i tappeti?» ripeté Bagnulo, guardando, ancora una volta, i tappeti del Circolo.

«Sì, come certe domestiche quando fanno le pulizie in casa. Noi prendiamo il Disordine e lo scarichiamo nei paesi del terzo mondo, oppure lo portiamo in soffitta, cioè nell'atmosfera, o, peggio ancora, lo ficchiamo in qualche cavità della terra, lasciandolo in eredità ai nostri posteri. Se poi un giorno, magari per mancanza di vento, il Disordine ristagna un pochino, può accadere che una città come Milano si trasformi improvvisamente in una camera a gas.»

«Questo però può accadere solo a Milano, non a Napoli?» chiese Bebè per tranquillizzarsi.

«Succederà anche a Napoli il giorno in cui tutti i poveri, incoscientemente, pretendessero di avere un'automobile.»

«Ma perché: i poveri non possono avere l'automobile?»

«No che non la possono avere: l'automobile è e deve rimanere un privilegio dei pochi. Il giorno in cui l'avranno tutti è come se non l'avesse nessuno: non si potrà più circolare e l'aria diventerà irrespirabile.»

«E allora?»

«E allora aveva ragione Pascal quando diceva: "Tutta l'infelicità del mondo dipende dal fatto che nessuno vuole restare a casa sua".»[4]

Se fino ad allora avevamo capito poco, la massima di Pascal finì col confonderci definitivamente le idee: il professore se ne accorse e cominciò a formulare domande più semplici, a cui, peraltro, rispondeva lui stesso.

«Perché gli uomini non vogliono restare a casa? Perché hanno bisogno di distrarsi. E perché hanno bisogno di distrarsi? Per evitare di pensare alla morte. E che cosa fanno per non pensare alla morte? Corrono dietro al denaro e al potere, come se denaro e potere potessero garantire loro l'immortalità. *Ergo*: il saggio non si muove, ma si allena a morire e questo i santoni indiani lo avevano già capito un migliaio di anni fa.»

«Insomma,» concluse Bebè, facendo gesti scaramantici, «noi ci dovremmo allenare a morire?»

---

[4] Pascal, *Pensieri*, num. 354 (sulla distrazione).

«Sissignore,» assentì il professore «prima abituandoci all'idea e poi sottovalutandone l'importanza.»

«E come si fa?»

«Si comincia a pensare alla morte come a un semplice sfratto di casa, con una certa nostalgia per ciò che si lascia e un pizzico di curiosità per quello che si andrà a conoscere. Anzi, sapete che vi dico? Secondo me, un uomo veramente curioso, per essere all'altezza del suo desiderio, dovrebbe desiderare la morte come il mezzo più veloce per giungere alla Verità. Io, per esempio, più passa il tempo e più la desidero.»

Bebè Maglione e il comandante Bagnulo si guardarono a vicenda ma non dissero nulla.

«Una cosa è certa,» continuò il professore «il trapasso non sarà doloroso. Non si è mai sentito di un moribondo che ha gettato un urlo terribile proprio nell'attimo fatale. In genere ci si trasferisce senza accorgersene, come quando si passa dalla veglia al sonno. E poi, alla fin fine, diciamo la verità: questa morte che sarà mai!»

«Se ho ben capito il vostro pensiero,» disse il comandante «per allenarsi a morire, noi non dovremmo mai uscire di casa?»

«Il filosofo non esce.»

«Andare al Circolo però è come restare in casa» affermò Bebè che di sicuro passava molte più ore al Circolo che non a casa sua, dove si dice avesse una moglie terribile.

«Casa o Circolo non fa differenza,» acconsentì il professore «l'importante è non muoversi.»

«Sì, però l'immobilità è anche sinonimo di morte» cercai di obiettare.

«Solo quando l'Ordine coincide con il Disordine, e questo accadrà soltanto l'ultimo giorno» rispose il professore, dopodiché prese una delle tazze vuote che stavano sul tavolino e la mostrò in giro. «Guardate questa tazza: se io adesso ci verso dentro un po' di latte e un po' di caffè, che cosa ne viene fuori?»

«Un caffelatte» si azzardò a dire Bebè.

«Bravo, e perché?»

«Perché è così che si fa il caffelatte» rispose Bebè che in questi dialoghi socratici non si sentiva molto a suo agio.

«Perché la Natura tende sempre all'omologazione,» sentenziò il professore «quindi le molecole di caffè e di latte, entrando nella tazza, non resteranno separate, le une di fronte alle altre, come due eserciti contrapposti, ma si mischieranno tra loro e in pochi attimi formeranno un miscuglio di colore intermedio chiamato caffelatte. Altra considerazione: il caffè e il latte, dopo essersi mischiati, non potranno mai più tornare com'erano in origine. Morale: il Disordine è aumentato, e in modo irreversibile.»

Il comandante Bagnulo lanciò con lo sguardo un Sos a Bebè perché trovasse una scusa qualsiasi per sciogliere la seduta: era chiaro che non ne poteva più del Secondo Principio della Termodinamica e che avrebbe pagato qualsiasi cosa per andarsene. Io invece ero sempre più interessato al problema.

«E cosa c'entra il caffelatte con la fine dell'Universo?»

«C'entra» rispose il professore, tutto contento che almeno uno di noi lo avesse seguito. «Perché, prima o poi, l'Universo diventerà un immenso cappuccino. La materia infatti prima o poi è destinata a polverizzarsi: perfino il protone, l'invisibile protone, tra alcuni anni, 10^{31} per l'esattezza, non riuscirà a mantenersi integro, e allora tutte le materie esistenti formeranno un unico pastone, del tutto omogeneo, e non ci sarà più diversità alcuna tra un punto e l'altro dell'Universo. Quel giorno, non esistendo differenze di temperatura, di potenziale energetico, di forze elettromagnetiche, gravitazionali, nucleari forti, nucleari deboli o di altro tipo, la materia non avrà più nessun motivo per spostarsi da un posto all'altro dello spazio e tutto sarà perfettamente immobile, l'Entropia avrà raggiunto il suo massimo valore e il Disordine verrà a coincidere con l'Ordine, ovvero con la Morte.»

«E noi che dobbiamo fare?» chiese Bebè.

«Non ci dobbiamo muovere» rispose il professore.

«Tutto questo,» esclamò il comandante Bagnulo «perché l'ingegnere ha girato tre volte il cucchiaino nel caffè!» Poi, voltandosi verso di me con tono severo: «Ingegnè, avete visto che guaio avete combinato?».

«Sì, sì, voi scherzate... e poi ve ne accorgerete!» lo ammonì il professore. «Il Secondo Principio non perdona: guai a sottovalutarlo, a credere che si tratti solo di un processo fisico dai tempi lunghissimi. Lui, il maledetto, vi frega in tutti i campi, giacché l'omologazione è sempre in agguato. Noi oggi stiamo parlando in italiano, domani, su queste stesse poltrone, i nostri nipoti parleranno in inglese. Anzi, tutto il mondo parlerà in inglese, perché così esige il Secondo Principio. Non esisteranno più i dialetti, le lingue nazionali, i costumi, le feste, le musiche folcloristiche, la tarantella, il sirtaki, il flamenco. In tutto il mondo imperverserà il rock americano o un altro ritmo che nel frattempo lo avrà sostituito e noi saremo costretti a ballarlo, ci piaccia o no. Non potremo più bere il nostro caffè ristretto, ma saremo obbligati a bere il caffè lungo, quello internazionale. Useremo tutti lo stesso tipo di detersivo. Non esisteranno più cibi regionali perché mangeremo tutti da MacDonald. Nessuno sarà più in grado di distinguere un esquimese da un brasiliano, perfino le razze scompariranno e avremo tutti lo stesso tipo di pelle (più o meno color caffelatte), così come indosseremo tutti gli stessi tipi di jeans. La pubblicità sarà il veleno preparato dall'omologazione e la televisione il bicchiere dentro il quale ce lo faranno bere.»

«Scusatemi professore,» lo interruppe il comandante, alzandosi in piedi «ma ci stanno chiamando dalla sala gioco: io e Bebè abbiamo uno scopone lasciato in sospeso con i coniugi Filomarino.»

Bebè non se lo fece dire due volte e si alzò anche lui di scatto.

«Peccato, professò,» si scusò «la conversazione era molto interessante, ma... come si dice... il dovere ci chiama!»

Restammo soli: io e il professor Riganti.

«Sono due bravissime persone» disse lui alludendo ai disertori. «Loro non lo sanno, ma sono due degni esempi di "immobilità dinamica".»

«Come sarebbe a dire?»

«Bebè è da una decina di anni che dichiara di voler aprire tre torrefazioni: una al Vomero, una alla Ferrovia e una a Fuorigrotta. Lo dice sempre ma non lo fa mai. Il termine tecnico per definirlo è "immobilità dinamica". Di tanto in tanto minaccia anche di telefonare in Brasile ma nessuno gli ha mai visto tirare fuori un gettone di tasca. Il comandante Bagnulo invece è un immobile di ritorno.»

«Di ritorno?»

«Sì, lui una volta era un devastatore: aveva un cabinato di dodici metri, il famoso *Re dei Mari*, con due diesel che appestavano l'aria, e imperversava per tutto il Golfo.»

«È per questo che lo chiamano il comandante?»

«Sissignore, e anche per un'altra ragione: Bagnulo era il più grande rompicoglioni del Circolo. Si piazzava all'angolo del terrazzo e controllava i movimenti di tutte le imbarcazioni che entravano nel porticciolo. Non c'era manovra che gli andasse bene. Come il proprietario della barca metteva piede a terra, lui se lo metteva sotto e gli impartiva sul posto una lezione di nautica. "Hai fatto una schifezza di attracco," gli diceva "quante volte ti debbo dire che quando c'è il libeccio la corrente ti porta a terra! E allora santiddio usa tutti e due i motori! Altrimenti che te la sei comprata a fare una barca con due motori?" Questo era Bagnulo. Poi, cinque o sei anni fa, girando con il *Re dei Mari* intorno all'isola di Procida, non si accorse di una secca e colò a picco con tutta la barca.»

«Quale secca?» chiesi io. «Quella prima del porto venendo da Ischia?»

«Sì, proprio quella lì: e infatti adesso, al Circolo, tutti la chiamano la "secca Bagnulo". Si dice anche che nelle prossime carte nautiche verrà indicata proprio con questo nome. È inutile dire che il poverino dopo il naufragio non ebbe più il coraggio di farsi vedere in giro. Adesso è tornato: saranno una decina di mesi, ma non dà fastidio a nessuno. Non ha più la barca e si disinteressa in modo totale delle barche degli altri. Pratica anche lui l'immobilità dinamica. A volte però si stanca di starmi a sentire e trova scuse puerili per allontanarsi.»

L'altro personaggio che m'incoraggiò sulla strada della filosofia fu il professor Barbieri, un signore piuttosto avanti con gli anni (sessanta che sembravano settanta), domiciliato a Napoli in via Sant'Eligio al Mercato.

Barbieri, più che professore di lettere, amava considerarsi un «aio», ovvero un educatore globale. Il suo mestiere ideale sarebbe stato quello di passeggiare su e giù per il bosco di Capodimonte, con una dozzina di discepoli intorno («benestanti, altrimenti non li voglio»), ai quali insegnare l'arte sottile del Dubbio positivo. Purtroppo per lui gli abitanti del Mercato erano tutte persone dedite al commercio all'ingrosso e, come tali, amanti delle certezze assolute e dei pagamenti in contanti. Ciò premesso, il professore si ridusse a dare ripetizioni a due ragazzini pestiferi che ricambiavano in pieno il suo odio.

«Continuo a tenerli,» mi disse un giorno «perché sono rispettivamente figli del salumiere e del fruttivendolo. La dignità, nel mio caso, abdica in favore dell'appetito e induce il cervello alla rassegnazione.»

Di Barbieri mi parlò per la prima volta un farmacista, in treno, durante uno dei miei tanti viaggi Milano-Napoli.

«Lei deve assolutamente conoscerlo: le assicuro che non se ne pentirà. Poi tra voi napoletani sono certo che vi capireste a volo. Pensi che io, grazie al suo aiuto, ho imparato anche ad ascoltare. Un tempo non ero così: volevo parlare sempre io. Parlavo e non imparavo mai nulla. Per forza: non davo mai il tempo agli altri d'insegnarmi qualcosa!»

Non avendo Barbieri un telefono, fui costretto a presentarmi a casa sua senza preavviso. Suonai il campanello e un vocione m'invitò a entrare. La porta era aperta. Dentro faceva più freddo che fuori. Lui stava seduto dietro una scrivania e mangiava un piatto di pasta e ceci fra cataste di libri e di carte. Indossava un cappotto e sotto il cappotto un pigiama.

«Disturbo?» chiesi io, alquanto imbarazzato.

«Francamente sì, ma dal momento che siete già entrato, accomodatevi.»

«Siete voi il professor Barbieri?»

«Forse» rispose lui e così dicendo, con una sola parola, mi anticipò tutte le sue idee.

In seguito, quando entrai più in confidenza, fu lui stesso a darmi una spiegazione di quella prima risposta dubitativa.

«Il saggio non nega e non afferma, non si esalta e non si abbatte, non crede né all'esistenza di Dio, né alla sua non esistenza. Il saggio non ha certezze, ha solo ipotesi più o meno probabili.»

«E allora che fa?» chiedevo io.

«Aspetta.»

Presi l'abitudine di andare a fargli visita la prima domenica di ogni mese. Arrivando in treno da Milano, mi facevo prestare la macchina da mia sorella e lo portavo a pranzo, a Torre del Greco, alla Casina Rossa. In cambio di una zuppa di pesce e di un litro di Gragnano, lui m'insegnava il Dubbio positivo.

Il suo pensatore preferito era Brisone, un filosofo socratico del tutto introvabile nei manuali di filosofia.

«Brisone di Eraclea? Mi meraviglio che non lo conosciate! Fu il fondatore dello zeticismo: ebbe come allievi

Pirrone di Elide e Anassarco, e tanto vi dovrebbe bastare.»

«E che cos'è lo zeticismo?»

«La scuola di pensiero di coloro che "cercano sempre e non trovano mai". *Zetetes* infatti, in greco, vuol dire "cercatore".»

«Ma che gusto c'è a cercare e a non trovare?» obiettavo.

«La gioia non sta sulla vetta ma nella salita, altrimenti gli scalatori si farebbero depositare dagli elicotteri direttamente sul cocuzzolo delle montagne.»

«E qual era l'insegnamento di Brisone?»

«Primo l'*epochè* o sospensione del giudizio, secondo l'*afasia* o rifiuto del parlare, e terzo l'*atarassia* o assenza dell'angoscia.»

Con un capo famiglia che non prendeva decisioni per nessun motivo al mondo, a mandare avanti la casa pensava la signora Assunta, la moglie, una sarta specializzata in abiti da prima comunione. I rapporti tra i due erano ormai di pura coabitazione: in pratica si sopportavano a vicenda. Di tanto in tanto lei cercava di giustificarlo.

«Non pensatene male,» mi diceva «fa l'ateo solo per spaventare la gente, ma è di animo buono. Purtroppo gli piace meravigliare il prossimo e così facendo finisce col farsi prendere in giro. Una volta invece, credetemi, era una persona tanto intelligente.»

«Mia moglie non distingue gli atei dagli agnostici» ribatteva lui un po' schifato. «Ho tentato più volte di spiegarle che differenza passa tra chi non crede e chi non sa, ma quando quella lì non vuole capire una cosa non c'è niente da fare: lei considera atei perfino i musulmani.»

A proposito di Fede, un giorno il professore mi portò in camera da letto a vedere il ritratto del suo Santo protettore. Si trattava di una cornice a cassettone, stile impero, con all'interno un punto interrogativo fatto tutto di lampadine colorate. Più sotto, su una mensoletta, due lumini sempiterni, di quelli che si usano nei cimiteri. Barbieri pigiò un

pulsante e le lampadine del punto interrogativo cominciarono ad accendersi e a spegnersi.

«Chiedo scusa,» disse la signora Assunta «ma io quel
tabernacolo ce l'ho sullo stomaco! Anzi, se proprio debbo
dire la verità: lo odio!»

«Non datele retta, ingegnè, piuttosto non distraetevi e
seguitemi» intervenne Barbieri. «Il Punto Interrogativo è il
simbolo del Bene, così come quello Esclamativo è il simbolo del Male. Quando sulla strada vi imbattete nei Punti
Interrogativi, nei sacerdoti del Dubbio positivo, allora
andate sicuro che sono tutte brave persone, quasi sempre
tolleranti, disponibili e democratiche. Quando invece
incontrate i Punti Esclamativi, i paladini delle Grandi Certezze, i puri dalla Fede Incrollabile, allora mettetevi paura
perché la Fede molto spesso si trasforma in violenza. E
badate bene che io qui non sto parlando solo di Fede reli-
giosa, ma anche di Fede politica e di Fede sportiva, di
qualsiasi tipo di Fede insomma. Gli integralisti islamici, i
tifosi di calcio, i brigatisti neri o rossi, appartengono tutti a
una stessa razza, quella che ritiene di essere la sola a possedere la Verità, come se poi potesse esistere davvero una
Verità unica e incontrovertibile. Il Dubbio invece è una
divinità discreta, è un amico che bussa con gentilezza alla
vostra porta. Il Dubbio espone con calma le sue idee ed è
pronto a cambiarle radicalmente non appena qualcuno gli
dimostrerà che sono sbagliate.»

«Perdonatemi il gioco di parole, professore, ma ho qualche dubbio sul dubbio» risposi io. «Prendiamo per esempio
Cristoforo Colombo: solo la certezza di trovare le Indie al
di là dell'Atlantico lo indusse a partire. E fu proprio questa
certezza a dargli la forza di procedere sino in fondo. Poco
importa poi che i calcoli fossero sbagliati: lui partì lo stesso
e finì con lo scoprire l'America. Io credo che nessuna conquista sia mai possibile senza un minimo di fede.»

«E perché mai?» replicò Barbieri. «Non è il Dubbio la

molla di ogni curiosità? A proposito: la parola Dubbio, io la pronuncio con la D maiuscola, voi invece usate la minuscola.»

«E chi ve l'ha detto che uso la minuscola?»

«Lo capisco dal tono: voi dite "dubbio", moscio moscio, senza nessun entusiasmo, non dite "Dubbio" così come lo dico io, forte e chiaro. E badate bene che la D è una lettera da non sottovalutare: Dio, il Diavolo, il Dubbio, il Dopo sono tutti concetti che cominciano per D.»

«Il Dopo? Che cos'è il Dopo?»

«Il Dopo è la domanda numero uno, quella che ci angoscia. A proposito, ingegnè: anche Domanda incomincia per D. Ma sentiamola pure questa Domanda: che cosa accadrà Dopo? Vivremo una nuova vita Dopo? O ci annienteremo nel Nulla?»

«E qual è la risposta?»

«La risposta è "non lo so".»

«Un po' deludente!»

«Perché mai? Che senso ha credere alla cieca, quando basta aspettare qualche anno per conoscere la verità? Perché aver Fede in qualcosa che Dopo potrebbe rivelarsi non vera?»

«Perché anche la Fede presenta i suoi vantaggi, toglie l'ansia ad esempio, e perché, alla fin fine, pure il Dogma comincia per D.»

Un giorno, dopo aver pranzato come sempre alla Casina Rossa, andammo a farci una passeggiata al Vesuvio. La vista dall'Osservatorio era di quelle che facevano venire voglia di piangere. Ogni cosa sembrava che fosse stata tirata a lucido solo per noi: il panorama ci appariva come una cartolina ricordo, i mammelloni vesuviani sembravano pezzi solidificati di panna montata di colore rossastro, e Capri, Ischia e Procida galleggiavano felici.

«Come si fa a non credere in Dio di fronte a uno spettacolo simile?» esclamai. «È mai possibile che a costruire tutta questa roba sia stato solo il Caso e nient'altro che il Caso?»

«Il problema non si pone» rispose Barbieri. «Il Caso o il Destino, il Big Bang o Nostro Signore, non fa alcuna differenza. Un giorno lo verremo a sapere. Quando io combatto la Fede, non lo faccio perché non credo all'esistenza di Dio, ma perché desidero "non riposarmi" sul dogma. Preferisco vivere dubitando piuttosto che archiviare Dio come un dato acquisito. Vivo più io in compagnia dell'idea di Dio che non un cattolico osservante.»

«E si può vivere senza certezze?»

«Sì, se si è capaci di sperare. D'altra parte voi siete in grado di nominarmi una sola cosa della cui esistenza possiate essere certo?»

«Non ho capito la domanda» risposi io, non sapendo dove volesse arrivare.

«Mi potete citare un solo episodio, per quanto piccolo, che secondo voi sia realmente accaduto?» ripeté Barbieri.

«Non lo so... per esempio, che oggi, a tavola, tutti e due abbiamo mangiato una spigola...»

«Perché lei se l'è già dimenticata?» chiesi io a mia volta, visto che, non solo se l'era mangiata tutta, ma si era anche fatto portare la testa per spolparsela con l'abilità di un chirurgo.

«Certo che non l'ho dimenticata! E colgo l'occasione per ringraziarvi. Ma siamo davvero sicuri che abbiamo mangiato una spigola?»

«Perché non dovremmo esserlo?»

«Voi prima mi avete detto di credere in Dio...?»

«Sì, ci credo.»

«Immagino che il vostro Dio sia Onnipotente.»

«Se è Dio, è anche Onnipotente.»

«Ebbene, un Dio Onnipotente, volendo, non potrebbe aver creato un mondo già in funzione?»

«In che senso "già in funzione"?»

«Insomma,» ribatté Barbieri un po' spazientito «il nostro mondo, il cielo, il mare, l'universo, tutto questo spettacolo che ci sta intorno, non potrebbe essere stato creato proprio in questo preciso momento? Supponiamo per un attimo che ognuno di noi sia nato adesso: alle 15.32 di oggi, con una memoria prememorizzata nel cervello, grazie alla quale "crediamo" di aver già vissuto.»

«In questo caso la spigola...»

«... crediamo di averla mangiata, ma nella realtà non è mai esistita: è solo una delle tante immagini che la nostra memoria ha avuto in dotazione nel momento di nascere.»

«Ma è impossibile!»

«Nossignore, è improbabile.»

XIII
Tre su quattro

Quando uno scrittore produce un libro di ricordi, il minimo che gli si può chiedere è di ricordare, e, magari, di non dire bugie. Eppure, non è così facile come sembra, se non altro perché il passato non sta mai fermo un attimo: è mobile come una bandiera in una giornata di vento. Visto con gli occhi del presente, tende continuamente a modificarsi, fino a diventare quello che Sant'Agostino definiva «il presente del passato».[1]

Io, in questo momento, mi sento come un impiegato che ha avuto quattro settimane di ferie e ne ha fatte già tre. Un po' penso agli anni vissuti, e un po', non senza qualche preoccupazione, a quelli ancora da vivere. Ho la sensazione di star seduto su una sedia, in uno spazio piccolissimo, praticamente un corridoio di passaggio, e di gettare uno sguardo in due camere attigue: una sulla destra, enorme, piena zeppa di ricordi buttati alla rinfusa,[2] e una sulla sinistra, non molto bene illuminata, nella quale riesco

[1] «Nella nostra mente convivono il presente del passato, che è la memoria, il presente del presente, che è l'intuizione, e il presente del futuro, che è l'attesa.» Sant'Agostino, *Le confessioni*, libro XXI, cap. XX.
[2] La copertina di questo libro vuole essere per l'appunto una foto della memoria, con alcuni oggetti che si ricordano meglio, e altri, invece, che tendono a sparire.

a malapena a scorgere delle ombre. Di fronte a me un grande orologio segna il tempo mentre, impercettibilmente, le pareti del mio corridoio si spostano da destra verso sinistra. Non che io le veda spostarsi, sia chiaro, ma sta di fatto che più passa il tempo, più diventa grande la camera del passato mentre quella del futuro rimpicciolisce.

La camera dei ricordi rassomiglia a un gigantesco negozio di *bric-à-brac*: una radio Allocchio Bacchini, il diploma di primo classificato negli 800 metri ai campionati campani del '51, un orologio Wyler-Vetta con le lancette verdi, fosforescenti, la mia prima bicicletta da uomo (la Bianchi modello Splendor, verniciata in nero e filettata d'oro), una notte trascorsa a passeggiare con gli amici parlando di cose futili (e se tu vincessi un milione che cosa faresti?) o dei massimi sistemi (ma secondo te Dio esiste?), una frittata di maccheroni mangiata a Coroglio, al Lido delle Sirene, con mammà che mi conserva la fetta con la crosta più cotta, perché sa che è quella che più mi piace.

Nell'altra stanza invece, quella del futuro, non riesco a distinguere nulla. Vorrei tanto vederci le prove di un ultimo amore, possibilmente meno sofferto dei precedenti, oppure il manifesto di quel film che avrei sempre voluto girare e non ho ancora girato, o la copertina di quel libro che avrei sempre voluto scrivere e non ho mai scritto.

Vorrei un televisore magico con il quale poter rivedere, anno dopo anno, giorno dopo giorno, tutta la mia vita. Chissà che effetto mi farebbe, vedermi agire secondo impulsi, idee ed emozioni che non appartengono più al mio modo di pensare? Sono davvero io quel biondino che si strugge d'amore mentre aspetta la fidanzata all'uscita della scuola? Mi batterebbe ancora il cuore durante l'esame di maturità? Ripeterei certe goliardate, come farsi rinchiudere nella gabbia delle scimmie, sotto la scritta *Vulgaris Mandrillus Parthenopeus*? Cosa potrei dire a mia discolpa se fossi costretto a risentire le mie conversazioni politiche del '46 quando, Dio solo sa perché, tifavo Monarchia? E i litigi con i genitori? E le bugie alle amanti? E il coretto dei Black Brothers con Arbore, Benigni, Andy Luotto e Fabrizio Zampa, tutti e quattro camuffati da negri? E se invece di rivedere una giornata del passato, provassi a sbirciarne una del futuro? Potrei conoscere in anticipo tutte le difficoltà e le gioie che mi aspettano: che so io... una recensione... un particolare riconoscimento professionale... una festa di compleanno... il viso di un nipotino non ancora nato... Facendo attenzione però a non spingermi troppo in avanti, per non imbattermi in una data tremenda, dopo la quale lo schermo non darebbe più immagini in movimento... No, no, non credo che, se anche possedessi un video del genere, avrei mai il coraggio di usarlo.

Certo, quando mi rendo conto di come sono trascorse in fretta le prime tre settimane, non posso non provare un senso di angoscia pensando alla quarta: qui non si fa in tempo a dire Buon Natale che subito ti arriva addosso la Pasqua, e poi ancora il Natale e poi ancora la Pasqua, finché un brutto giorno incontri un compagno di scuola che ti dice: «Ieri ho ritirato la carta d'argento».

«E che cos'è?» gli chiedi.

«Come,» si stupisce lui «non sai cos'è la carta d'argento? Tutti possono avere la carta d'argento, basta avere sessant'anni. Guarda che è sul serio una grande comodità: sui treni ti fanno lo sconto del 30 per cento.»

«E io che c'entro?» vorresti dirgli, ma te ne manca il coraggio.

«Che cos'è il tempo?» si chiede Sant'Agostino, quindi aggiunge: «Se nessuno me lo chiede, lo so, ma se dovessi spiegarlo a chi me lo chiede, finirei col non saperlo».[3]

---

[3] Sant'Agostino, *op. cit.*, libro XXI, cap. IV.

E il Presente? Esiste sul serio il Presente? Se è vero che il Passato non esiste, perché non è più, e se è altrettanto vero che il Futuro non esiste, perché non è ancora, come fa il Presente a esistere, quando è solo una separazione tra due cose che non esistono?
«Può esistere un qualcosa la cui condizione d'esistenza è quella di cessare d'esistere?»[4]

È indubbio che ci sono due concetti di tempo: quello *fisico* (tempo esterno), che dovrebbe essere uguale per tutti, e quello *psichico* (tempo interno), che è diverso da persona a persona e che varia col variare degli avvenimenti. Il tempo *psichico* è un connotato personale, come il colore degli occhi o dei capelli, ma è anche una grandezza accidentale: basta confrontare la giornata di un venditore di detersivi a domicilio con quella di un ergastolano per capire come possa variare il tempo. Sant'Agostino lo definiva «un'estensione dell'animo umano».[5]

A proposito di tempo *psichico*, credo che possa essere illuminante un episodio capitatomi quando lavoravo in IBM. A Napoli avevamo una sede eccezionale: primo e ultimo piano di uno dei più bei palazzi di via Orazio, vista panoramica sul Golfo. Unico difetto: un ascensore «moscio», o per dirla in linguaggio tecnico «non adeguato alla dinamicità dell'azienda». Ogni giorno c'era qualcuno degli impiegati che protestava per «l'estenuante attesa al pianerottolo del primo o del sesto piano». D'altra parte l'edificio, a suo tempo, era stato progettato per un uso esclusivamente abitativo.

4 Sant'Agostino, *op. cit.*, libro XXI, cap. IV.
5 Sant'Agostino, *op. cit.*, libro XXI, cap. XXIII.

Venne subito creata una task-force di esperti. Da Milano arrivarono un architetto e un geometra dell'Ufficio Gestione Sedi, che nel giro di una settimana misero a punto un progetto per un secondo ascensore da costruire nel cortile del fabbricato. Nel frattempo don Attilio, il portiere dello stabile, fu incaricato di rilevare quante persone prendevano l'ascensore tra le 8.30 e le 19, compito questo che il bravo'uomo portò a termine con molto scrupolo, riempiendo di segni un quaderno a quadretti dalla copertina nera.

«Ingegnè, guardate se faccio bene,» mi disse un giorno, mostrandomi il quaderno «io disegno un'asta per ogni inquilino che vedo salire e una croce per ogni IBM.» Poi, dopo una breve pausa, mi guardò con aria di sconforto e aggiunse: «Una croce, ingegnè, una croce!».

Alla fine del rilevamento fu indetta una riunione per valutare i costi dell'operazione e per convincere qualche condomino ancora riluttante a non opporsi al progetto. Erano presenti tutte le funzioni interessate. Si stava discutendo dei permessi comunali, quando dal fondo della sala don Attilio chiese la parola.

«Veramente, avrei una proposta da fare: posso parlare?»

«Dica pure» gli rispose il direttore.

«Chiedo scusa se m'intrometto, ma io, al posto vostro, invece di spendere tutti questi milioni per un secondo ascensore, mi comprerei due begli specchi. Uno lo piazzerei al primo piano e un altro al sesto: così la gente si guarda, il tempo passa e nessuno se ne accorge.»

Questa fu la soluzione adottata e da quel momento nessuno più si lamentò delle attese

Uno dei modi per essere sicuri dell'esistenza del tempo è quello di osservare qualcosa che si muove. Supponiamo che davanti a me passi, ancheggiando, una bella ragazza, e che io possa dire che *prima* era alla mia destra e che *dopo* si è portata alla mia sinistra. Il *prima* e il *dopo* in questo caso potrebbero costituire una discreta prova dell'esistenza del tempo. Eppure, malgrado io l'abbia vista passare, non saprò mai quanto tempo «effettivamente» abbia impiegato a percorrere quei pochi metri.

La ragazza è passata davanti a me e io l'ho continuamente fotografata, con la retina, a intervalli regolari di un ventesimo di secondo. Attaccando una dietro l'altra tutte queste immagini, il mio cervello alla fine potrà dire di aver «visto» la ragazza passare, così come uno spettatore che ha appena assistito a *La carica dei seicento* è sicuro di aver «visto» Errol Flynn fiondarsi al galoppo sul nemico. In effetti sia la ragazza che Errol Flynn, presi istante per istante, erano del tutto immobili, anche se colti in posizioni diverse. È solo l'assemblaggio dei fotogrammi, operato dal cervello, che restituisce l'idea del movimento.

Quanto detto può darci un'idea della soggettività del movimento e quindi anche del tempo: se la sensibilità del mio occhio fosse stata molto più lenta, supponiamo per esempio non superiore al decimo di secondo, io avrei visto la ragazza passarmi davanti, freneticamente, come in una comica di Ridolini. Se, al contrario, avessi avuto la sensibilità visiva di una zanzara, che mi dicono altissima, l'avrei vista procedere pian piano, come se camminasse al rallentatore.

È per questo motivo che quando cerchiamo di schiacciare una zanzara alla parete non la becchiamo mai: la bestiola, nel suo mondo visto alla moviola, vedrà avvicinarsi il nostro giornale con estrema lentezza e avrà tutto il tempo che vuole per evitarlo, anzi, potrà anche avvertire qualche compagna distratta.

«Guarda che sta arrivando un giornale!»

«Sul serio?»

«È "Repubblica"!»

«Mamma mia: "Repubblica"! E cosa mi consigli di fare?»

«Non lo so... andiamo più in alto, così nessuno potrà più darci noia.»

E se ne volano via.

A questo punto non posso fare a meno di chiedermi: ma qual è il vero tempo dell'Universo? Quello dell'uomo o quello della zanzara? E già, perché la zanzara, pur vivendo pochissimi giorni, ha una visione del tempo talmente rallentata che le sembrerà di vivere tantissimo.

Chiamiamo in aiuto Bergson, Einstein e Fellini e vediamo se uno di questi tre illustri signori, tra filosofia, scienza e poesia, possa darci una mano a capire meglio che cos'è il tempo.

Secondo Bergson, è l'occhio che vede la ragazza, ma è la mente che «vede» il movimento.[6] Infatti, dice il filosofo, se mentre guardo un pendolo vengo preso dal sonno, di chi è la colpa? Dell'ultima oscillazione? No di certo, altrimenti mi sarei addormentato fin dalla prima. È ovvio quindi che a farmi addormentare è stata la regolarità del movimento, e che il fenomeno non si sarebbe verificato se in soccorso dell'occhio non fosse arrivata la memoria, e cioè la mente, a ricordare tutte le oscillazioni precedenti. La *durata*, conclude Bergson, non è un qualcosa di esterno che si possa misurare, come si fa per lo spazio, ma è una *sintesi mentale.*

Einstein va oltre: pensa che non solo il tempo *psichico*, quello interno, sia relativo, ma che anche il tempo *fisico*, quello esterno, possa variare in funzione della velocità con cui l'orologio viaggia nello spazio, e per farlo capire ai non matematici racconta il paradosso dei gemelli.

---

[6] Henri Bergson, «L'idea di durata», in *Saggio sui dati immediati della coscienza.*

C'erano una volta due gemelli che non si perdevano mai di vista: per venti anni erano stati sempre insieme, a scuola, alle feste e in vacanza, poi un bel giorno uno di loro viene assunto in una banca come sportellista e l'altro s'imbarca su una navicella spaziale. L'astronauta, una volta partito, non fa che girare vorticosamente tra le stelle, finché una sera, dopo venti anni, preso dalla nostalgia, torna a casa e trova che il fratello ha compiuto quarant'anni ed è diventato direttore di banca. Lui, invece, ha solo ventuno anni, e questo perché (sempre secondo Einstein) quando ci si sposta a velocità così alte, pressoché uguali a quella della luce, venti anni possono corrispondere a un anno soltanto. Ma chiariamo bene il concetto: non è che l'astronauta *crede* che sia passato solo un anno; *per lui è davvero trascorso solo un anno*, nel senso che la sua pelle, i suoi capelli e tutto il resto risultano invecchiati di un anno soltanto. In altre parole durante il viaggio tutti i tempi biologici del suo corpo sono stati rallentati, come se all'interno delle cellule ci fossero tanti orologetti che hanno subìto un rallentamento per effetto della velocità.

Se non ci credete, studiatevi la formula riportata nella nota.[7]

Se abbiamo avuto qualche problema a definire la *durata* del tempo entro periodi relativamente brevi, figuriamoci

[7] Albert Einstein, «Come si comportano regoli e orologi in movimento», in *Teoria della relatività ristretta*. L'intervallo di tempo, tra uno scatto e l'altro dell'orologio di un astronauta, non è di un secondo, come sulla Terra, ma è

$$t = \frac{1}{\sqrt{1 - \frac{v^2}{c^2}}}$$ dove v è la velocità dell'astronauta e c la velocità della luce.

Ebbene, più v diventa uguale a c e più il tempo si allunga, fino a diventare infinito allorquando v è uguale a c. A quel punto l'orologio si ferma e il tempo non scorre più.

quali difficoltà incontreremmo se ci spostassimo col pensiero agli estremi confini del creato, al «prima del prima» e al «dopo del dopo», ovvero ai bordi dell'*infinito*.

Prima che io nascessi c'era Garibaldi, e prima di Garibaldi c'era Lorenzo il Magnifico, e prima di Lorenzo il Magnifico c'era Epicuro, e prima di Epicuro la preistoria, e prima della preistoria le ere paleontologiche, e prima ancora il big bang, e prima del big bang...? E qui mi fermo senza più sapere che cosa inventarmi. L'unica risposta che mi viene in mente è «Dio», che però a questo punto diventa una spiegazione fin troppo comoda. «Ma che faceva Dio» si chiede Sant'Agostino «prima di creare il Cielo e la Terra?» E subito risponde: «Non faceva nulla».[8]

Agli stessi risultati arrivo se provo a inoltrarmi nel futuro. Corro con l'immaginazione avanti, sempre più avanti, chiedendomi di continuo: «Che cosa accadrà dopo la mia morte, e dopo la morte di tutti gli uomini, e dopo la morte dell'Universo?». Può essere che alla fine di tutto questo baraccone non ci sia nulla di organizzato? Insomma che non ci sia niente, ma proprio niente di niente, e che non possiamo far niente per evitare tutto questo niente? Pensa come ci resterebbe male Berlusconi! E allora, mi chiedo ancora, tutti i capolavori, i panorami, i grandi uomini, Socrate, Capri, Gesù, Totò, la Nona di Beethoven, Chaplin, Dostoevskij, Shakespeare, «Amor che a nullo amato amar perdona», Leonardo da Vinci e compagnia bella che sarebbero nati a fare? Solo per prendere in giro l'umanità? Mi rifiuto di pensarlo.

Federico Fellini, nel finale del film *I clown*, avanza un'ipotesi: ci ritroveremo tutti, perlomeno quelli che si vogliono

[8] Sant'Agostino, *op. cit.*, libro XXI, cap. XII.

bene, in un'altra dimensione, probabilmente in una dimensione musicale.

C'è un pagliaccio che racconta: «Una volta facevo un numero con un compagno che si chiamava Fru-Fru: fingevamo che lui fosse morto. Io entravo e chiedevo: "Dov'è Fru-Fru?". E il direttore mi rispondeva: "Non lo sai che è morto?". "Come sarebbe a dire è morto?" protestavo io. "Mi deve ancora restituire le dieci salsicce che gli ho prestato l'anno scorso!" E il direttore: "Eppure è morto". Allora io mi mettevo a girare per tutta la pista e gridavo "Fru-Fru... Fru-Fru...", ma nessuno mi rispondeva. "E se fosse morto davvero," pensavo "come faccio a trovarlo? Uno non può mica sparire così: da qualche parte deve pur stare." A questo punto mi viene un'idea: provo a suonare la canzone del nostro numero, ebbene, non appena attacco una nota, ecco che lui mi appare, come per incanto, e mi risponde suonando».

Che io provi a fantasticare dell'inizio dei tempi oppure della fine del mondo, le difficoltà sono sempre le stesse: la ragione non ce la fa a venirmi dietro. Forse potrei tentare con l'intuizione, come se la ragione fosse solo la rincorsa e l'intuizione il balzo necessario per giungere alla verità. A meno che, stanco di cercare invano, non mi riposi nella Fede. Ma cercare Dio desiderando, come diceva il professor Barbieri, il mio folle amico del Dubbio, non è forse meglio che trovarselo precotto e a buon mercato con la Fede?

Indice

«Vita di Luciano De Crescenzo scritta da lui medesimo»
di Luciano De Crescenzo
Collezione I libri di Luciano De Crescenzo

Arnoldo Mondadori Editore

Finito di stampare nel mese di aprile 1989
presso la Arnoldo Mondadori Editore S.p.A.
Stabilimento Nuova Stampa Mondadori – Cles (TN)
Stampato in Italia – Printed in Italy